A-Z LUTON & DUNSTABLE

C000091210

CONTENTS

REFERENCE

Motorway	M1	**Car Park** Selected	P
A Road	A505	**Church or Chapel**	†
Proposed		**Cycle Route**	
B Road	B579	**Fire Station**	■
Dual Carriageway		**Hospital**	H
One Way Street Traffic flow on A Roads is indicated by a heavy line on the driver's left.	→	**House Numbers** A & B Roads only	38 22
Large Scale Page Only	⇒	**Information Centre**	i
Restricted Access		**National Grid Reference**	223
Pedestrianized Road		**Police Station**	▲
Track		**Post Office**	★
Footpath		**Toilet**	▽
Residential Walkway		with facilities for the Disabled	🚾
Railway	Level Crossing / Station / Tunnel	**Educational Establishment**	
		Hospital or Hospice	
		Industrial Building	
Built Up Area	HIGH STREET	**Leisure or Recreational Facility**	
Local Authority Boundary		**Place of Interest**	
Postcode Boundary		**Public Building**	
		Shopping Centre or Market	
Map Continuation	14 Large Scale Town Centre 29	**Other Selected Buildings**	

Scale

Map Pages 2-28	Map Page 29
1:19,000 3⅓ inches (8.47 cm) to 1 mile	1:9,500 6⅔ inches (16.94 cm) to 1 mile
5.26 cm to 1 kilometre	10.53 cm to 1 kilometre
0 ¼ ½ Mile	0 ⅛ ¼ Mile
0 250 500 750 Metres	0 100 200 300 400 Metres

Copyright of Geographers' A-Z Map Company Limited

Head Office:
Fairfield Road, Borough Green, Sevenoaks, Kent, TN15 8PP
Telephone 01732 781000 (Enquiries & Trade Sales)
01732 783422 (Retail Sales)

www.a-zmaps.co.uk

Copyright © Geographers' A-Z Map Co. Ltd.

Ordnance Survey® This product includes mapping data licensed from Ordnance Survey® with the permission of the Controller of Her Majesty's Stationery Office.

© Crown Copyright 2003. All rights reserved
Licence Number 100017302

Edition 3 2002   Edtion 3A* 2003 (Part revision)

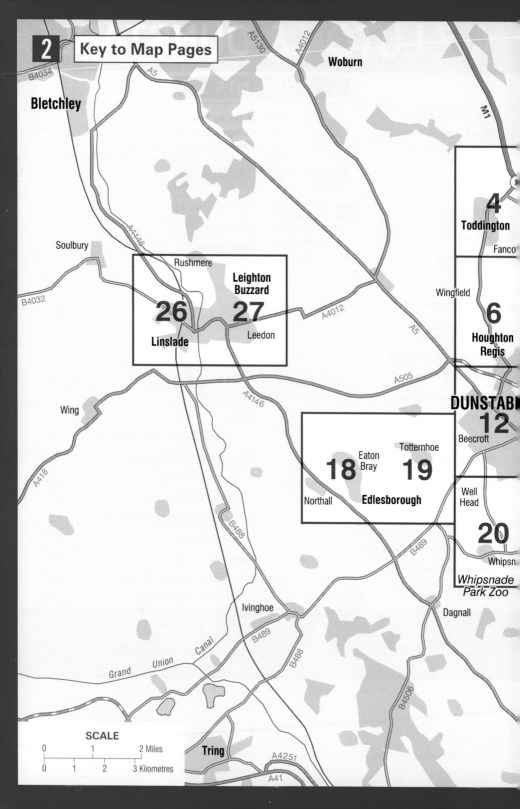

Woburn

B4034

Bletchley

A5

A5130

A4012

M1

Soulbury

A4146

Rushmere

Leighton Buzzard

26

27

Linslade

Leedon

A4012

A5

4

Toddington

Fanco

Wingfield

6

Houghton Regis

B4032

Wing

A4146

A505

DUNSTAB

12

Beecroft

A418

Totternhoe

Eaton Bray

18

19

Northall

Edlesborough

Well Head

B488

20

Whipsn

B489

Whipsnade Park Zoo

Ivinghoe

B489

B488

Dagnall

B4506

Grand Union Canal

SCALE

0 — 1 — 2 Miles

0 — 1 — 2 — 3 Kilometres

Tring

A4251

A41

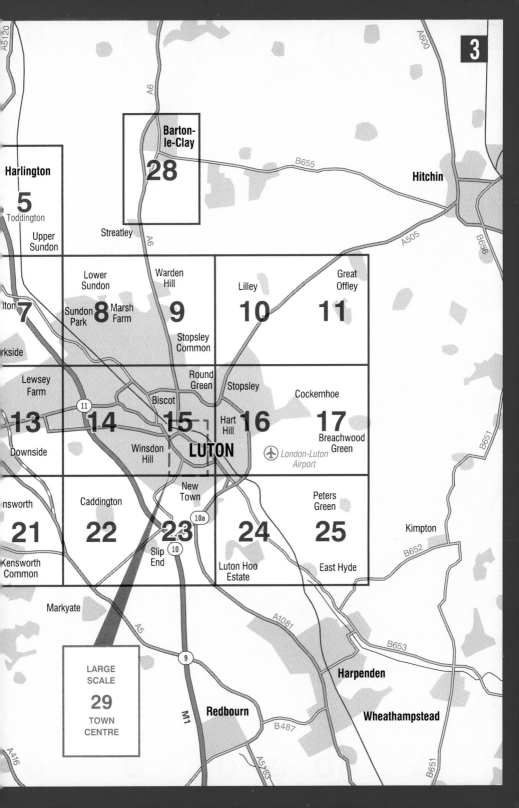

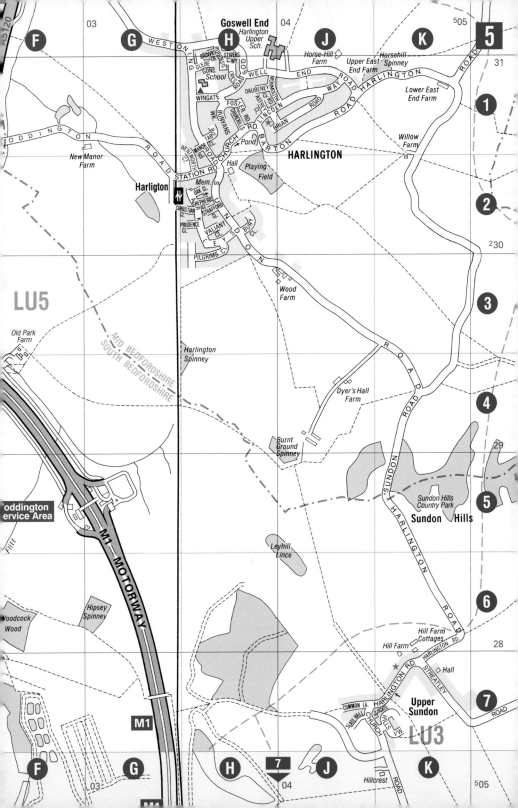

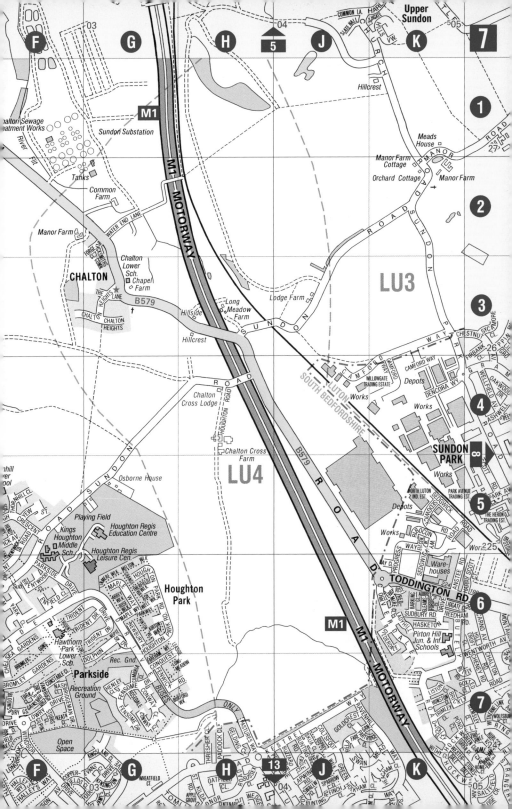

A · B · C · D · E

1

2

3

4

9

5

6

7

510

27

26

25

24

Pump Cottages

Burnwell Spinneys

11 Lilley Manor

Manor Cottages

Dennison Cottages

Ward's Spring

HEXTON

Stockinghill Plantation

KINGSHILL ROAD

LANE 12

Pond Farm

Pond Cottages

Ward's Farm

BAULK

RECTORY LA.

GREEN ACRES

Ward's Wood

WARDSWOOD LANE

RUELEY DELL RD.

THE

EAST STREET

Baulk Cottages

Lilleypark Plantation

WEST STREET

Church Farm

LILLEY PARK

George's Plantation

NORTH HERTFORDSHIRE LANE

Lilley

Hall Play. Fld.

Ralphs Farm

Mushroom Elders

Lilleypark Wood

LILLEY

WEST ST.

Jamaica Plantation

Dog Kennel Farm

Whitehill Wood

LU2

Keepers Cottage

Whitehill Farm

Beechill Plantation

Oaket Wood

North Lodge

BEECH

Beanfield Cottages

SOUTH BEDFORDSHIRE

LUTON

Icehouse Plantation

Dick's Gap

Upshot Wood

Whitehill Cottages

BUTTERFIELD GREEN RD.

Butterfield Green

Great Hayes Wood

ROAD

PUTTERIDGE PARK

BUTTERFIELD GREEN RD.

The Vale Cemetery and Crematorium

Manor Farm

EDGEWOOD

WREN CL.

MOUNTGRACE RD.

NIGHTINGALE CL.

EDENWOOD DELL

Putteridge Bury

Tennis Court

Hawleydell Plantation

STOPSLEY COMMON

Lothair Road Recreation Ground

Pav.

Pav.

HITCHIN

GREEN RD.

A505

GREENWAYS

CANNON

MULLION

LA. COLLINGTREE

GREEN RD.

WOOD GREEN

SWIFTS GRN. CL.

SWIFTS

CURLEW RD.

RAVENGRANGE

CORNCRAKE

WILLIAM SUTTON CT.

HAYES GREEN

DELLCOT

SILKWAY RD.

CROWLAND RD.

AVENUE

CROWLAND RD.

ROCHESTER

Putteridge High Sch & Comm. Coll.

Putteridge Jun. & Inf. Sch.

Recreation Centre

Home Farm

West Lodge Cottages

Mangrove Lodge

Mangrove Hall

Mangrove Grn Cotts.

Playing Field

Luton Regional Sports Centre

Tennis Courts

Stopsley Mobile Home Park

LOTHAIR RD.

THACKERAY RD.

ASH RD.

HAWTHORN

HAZELWD.

PUTTERIDGE

APPLECROFT RD.

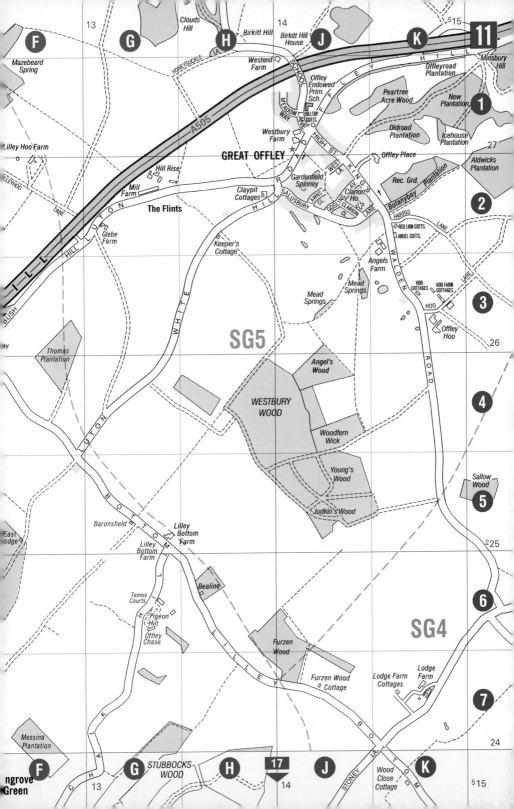

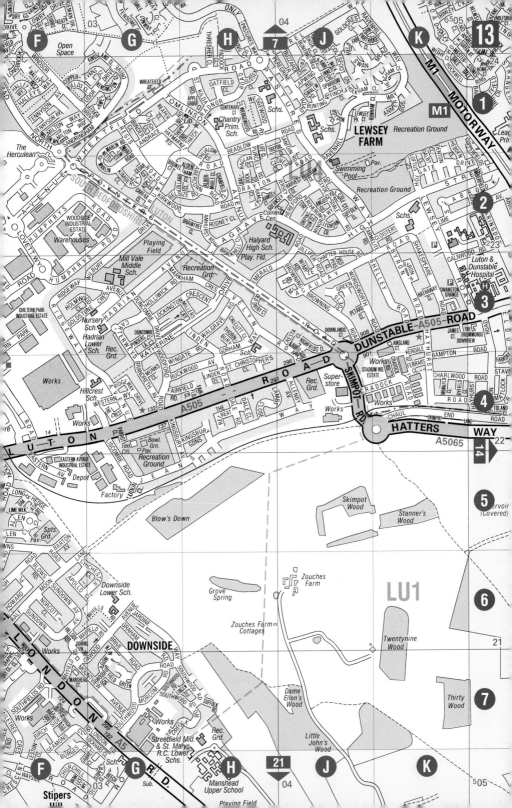

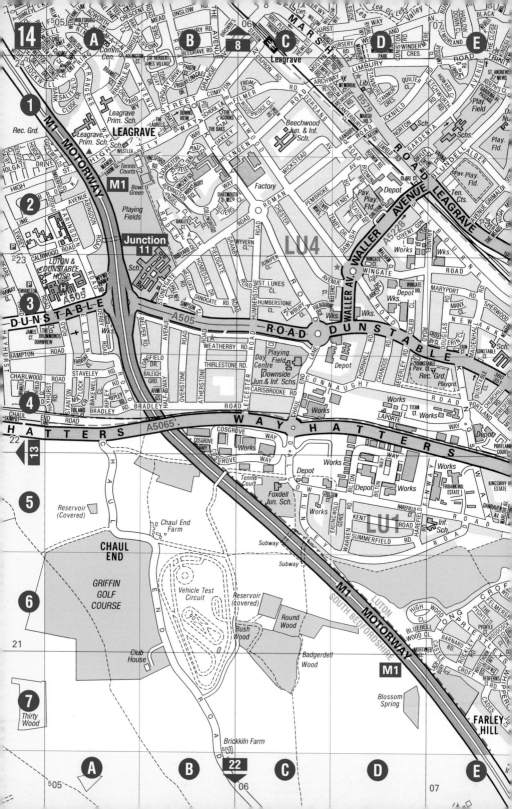

Messina Plantation

ngrove reen

13 HILL 14

STUBBOCKS WOOD

LILLEY

515

24

1

Wood Close Cottage

BRICK

Cockernhoe Farm

Windmill (disused)

BOTTOM

Roundabouts Plantation

2

KILN

Brickkiln Wood

LANE

²23

Tea Green

Crouchmoor Cottage

Tankards Farm

WINDMILL

SG4

3

MILLWAY ROAD

S Heath

Crouchmoor Farm

ROAD

The Heath

LANE

Heath Farm

S HEATH

Darley Wood

Brownings Cottage

THE HEATH

Wandon End

Ivy Cottages

Wandon End Farm

Works

Darleyhall

Brownings Cottage

Colemans Green

The Spinney

REEDS DALE GREENINGS

EMMER FELBRIGG

ENNISMORE

MALTHOUSE

WARMINSTER

THE DELL

BROOK VALE

ROAD

Green Acres

DARLEY

Medlow House

Colemans Farm

ST MARY'S RISE

HEATH ROAD

4

ROAD

COLEMANS

OXFORD RD.

THE MEADOWS

Breachwood Green

→22

CHAPEL RD

5

Bailey's Farm

New Winchill Cottages

NORTH HERTFORDSHIRE

LUTON

Winch Hill Farm

Winch Hill House

Winch Hill

Netherfield Spring

LILLEY

6

21

Burnt Wood

7

Sellbarn's Dell

Sewett's Wood

Woodside Cottage

Limekiln Wood

Diamond End

Diamond End Cottages

Hurst Wood

Dane Street Cottages

Dane Street Farm

Pondcroft

Sloughs Wood

Wandon Green Farm

Laysbury Dells

Chiltern Hall

Birch Spring

North Lodge

Wandon Green

14 Shotmore Plantation

515

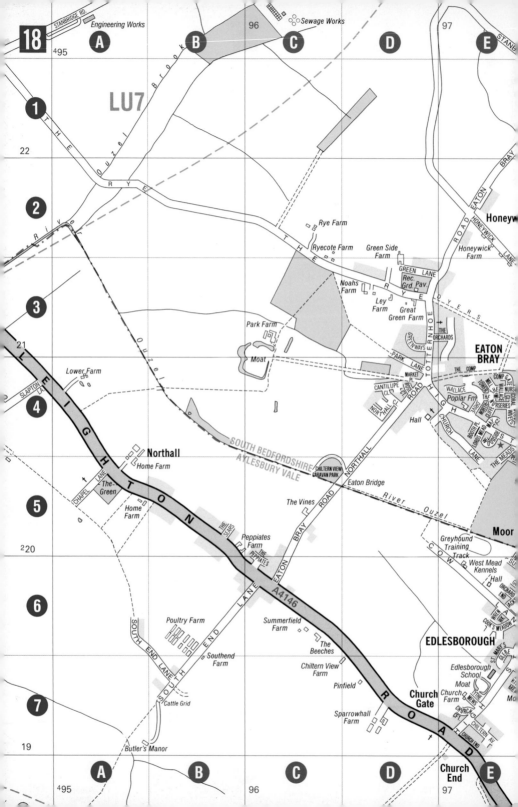

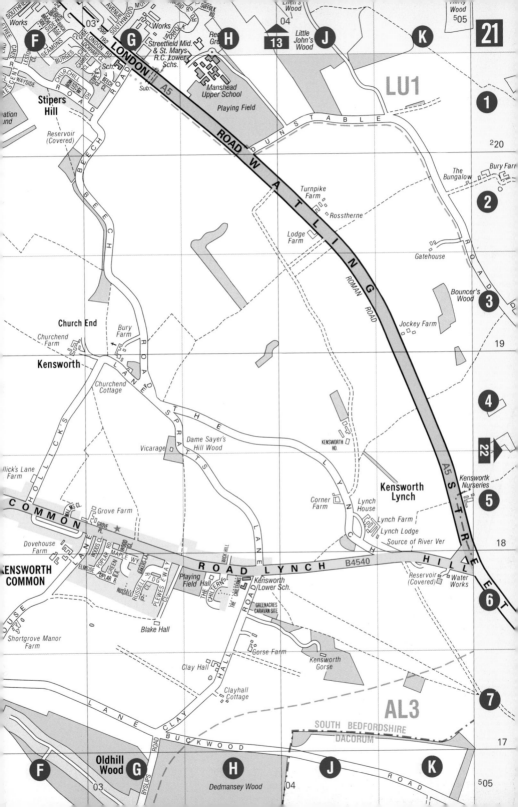

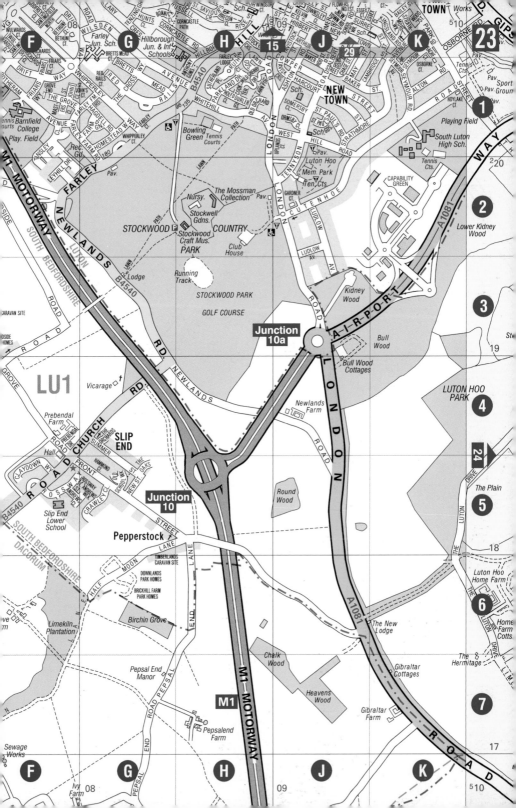

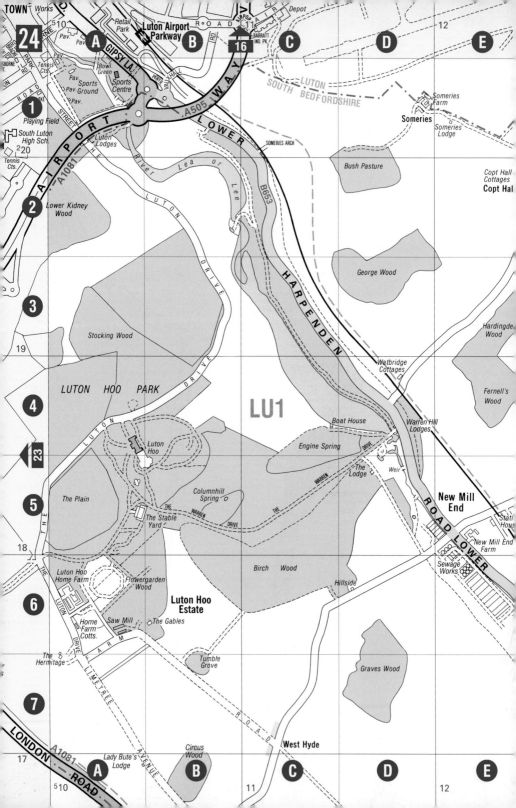

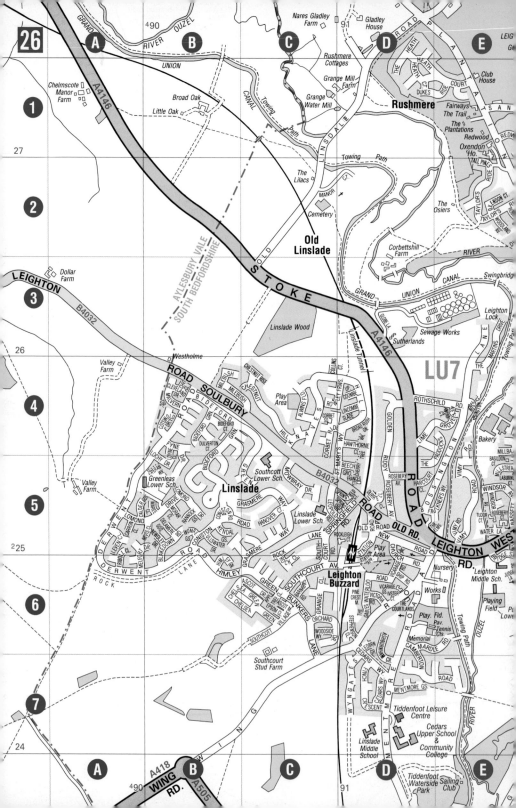

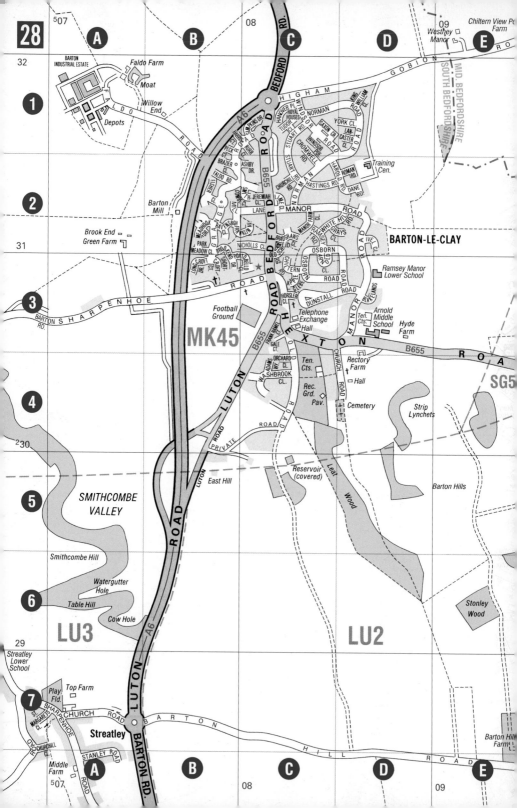

507 · 08 · 09

A · **B** · **C** · **D** · **E**

1
Barton Industrial Estate
Faldo Farm
Moat
Willow End
Depots

2
Barton Mill
Brook End Green Farm

3
SHARPENHOE
BARTON RD.
Football Ground
MK45
Telephone Exchange
Hall

4
Ten. Cts.
ORCHARD CL.
WASHBROOK CL.
Rectory Farm
Hall
Cemetery
Arnold Middle School
Hyde Farm
Strip Lynchets
SG5

5
SMITHCOMBE VALLEY
East Hill
Reservoir (covered)
Barton Hills
Leat Wood

6
Smithcombe Hill
Watergutter Hole
Table Hill
Cow Hole
Stonley Wood

LU3
LU2

7
Streatley Lower School
Top Farm
Play Fld.
SHARPENHOE
CHURCH
STANLEY ROAD
Streatley
BARTON
Middle Farm
507
HILL
Barton Hill Farm

HIGHAM
ROAD
Training Cen.
GOBION
Chiltern View
Westhey Manor
Farm
MID BEDFORDSHIRE
SOUTH BEDFORDSHIRE

BARTON-LE-CLAY
Ramsey Manor Lower School
DUNSTALL
OSBORN
MANOR ROAD
B655
ROAD

BEDFORD ROAD
A6
LUTON ROAD
HEXTON ROAD
CHURCH ROAD
PRIVATE
Rec. Grd. Pav.
Ten. Cts.

31
32
30
29

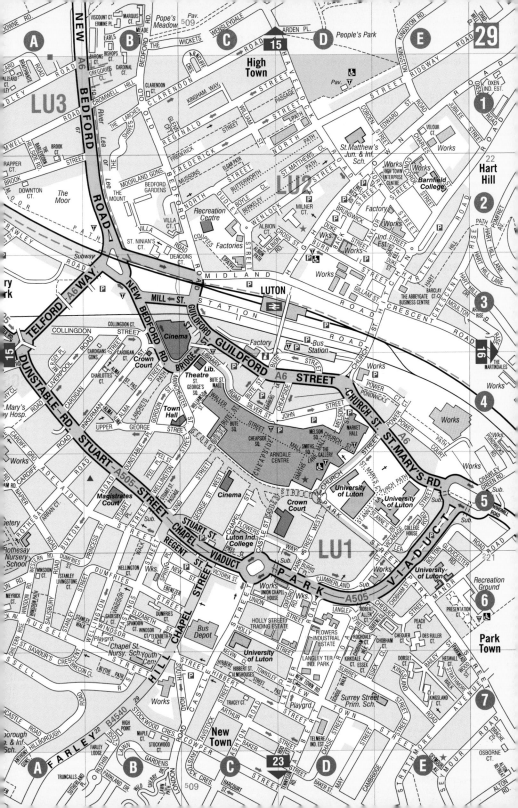

INDEX

Including Streets, Places & Areas, Hospitals & Hospices, Industrial Estates, Selected Flats & Walkways and Selected Places of Interest.

HOW TO USE THIS INDEX

1. Each street name is followed by its Posttown or Postal Locality and then by its map reference; e.g. Abercorn Rd. *Lut* —2H **13** is in the Luton Posttown and is to be found in square 2H on page **13**. The page number being shown in bold type.
A strict alphabetical order is followed in which Av., Rd., St., etc. (though abbreviated) are read in full and as part of the street name; e.g. Allen Clo. appears after Allenby Av. but before Allendale.

2. Streets and a selection of Subsidiary names not shown on the Maps, appear in the index in *Italics* with the thoroughfare to which it is connected shown in brackets; e.g. *Archway Pde. Lut —1D* **14** *(off Marsh Rd.)*

3. Places and areas are shown in the index in **bold type**, the map reference to the actual map square in which the Town or Area is located and not to the place name; e.g. **Barton-le-Clay —3C 28**

4. An example of a selected place of interest is Cannon Cinema. —6J 15 (5C 29)

5. An example of a hospital or hospice is FARLEY HILL DAY HOSPITAL. —7F 15

6. Map references shown in brackets; e.g. Albert Rd. *Lut* — 7J **15** (7D **29**) refer to entries that also appear on the large scale page **29**.

GENERAL ABBREVIATIONS

All : Alley	Est : Estate	Pde : Parade
App : Approach	Fld : Field	Pk : Park
Arc : Arcade	Gdns : Gardens	Pas : Passage
Av : Avenue	Gth : Garth	Pl : Place
Bk : Back	Ga : Gate	Quad : Quadrant
Boulevd : Boulevard	Gt : Great	Res : Residential
Bri : Bridge	Grn : Green	Ri : Rise
B'way : Broadway	Gro : Grove	Rd : Road
Bldgs : Buildings	Ho : House	Shop : Shopping
Bus : Business	Ind : Industrial	S : South
Cvn : Caravan	Info : Information	Sq : Square
Cen : Centre	Junct : Junction	Sta : Station
Chu : Church	La : Lane	St : Street
Chyd : Churchyard	Lit : Little	Ter : Terrace
Circ : Circle	Lwr : Lower	Trad : Trading
Cir : Circus	Mc : Mac	Up : Upper
Clo : Close	Mnr : Manor	Va : Vale
Comn : Common	Mans : Mansions	Vw : View
Cotts : Cottages	Mkt : Market	Vs : Villas
Ct : Court	Mdw : Meadow	Vis : Visitors
Cres : Crescent	M : Mews	Wlk : Walk
Cft : Croft	Mt : Mount	W : West
Dri : Drive	Mus : Museum	Yd : Yard
E : East	N : North	
Embkmt : Embankment	Pal : Palace	

POSTTOWN AND POSTAL LOCALITY ABBREVIATIONS

Al G : Aley Green	*H Reg* : Houghton Regis	*Pep* : Pepperstock
Bar C : Barton-le-Clay	*I'hoe* : Ivinghoe	*P Grn* : Peters Green
Bid : Bidwell	*Kens* : Kensworth	*S'hoe* : Sharpenhoe
B Grn : Breachwood Green	*Kim* : Kimpton	*S End* : Slip End
Cad : Caddington	*K Wal* : Kings Walden	*S'ley* : Streatley
Chal : Chalton	*Leag* : Leagrave	*Stud* : Studham
C'hoe : Cockernhoe	*Lee* : Lee, The	*S'dn* : Sundon
Dunst : Dunstable	*L Buz* : Leighton Buzzard	*Teb* : Tebworth
E Hyde : East Hyde	*Lil* : Lilley	*Tod* : Toddington
Eat B : Eaton Bray	*Lut A* : London Luton Airport	*Tot* : Totternhoe
Edl : Edlesborough	*L Sun* : Lower Sundon	*Whip* : Whipsnade
Harl : Harlington	*Lut* : Luton	*W'fld* : Wingfield
Hpdn : Harpenden	*Mark* : Markyate	*Wood* : Woodside
H&R : Heath and Reach	*N'all* : Northall	*Wood E* : Woodside Est.
H Gob : Higham Gobian	*Offl* : Offley	

INDEX

Abbey Dri. *Lut* —4A **16**
Abbeygate Bus. Cen., The. *Lut* —3E **29**
Abbey M. *Dunst* —7E **12**
Abbey Wlk. *H Reg* —6G **7**
Abbots Ct. *Lut* —4A **16**
Abbots Wood Pde. *Lut* —4A **16**
Abbots Wood Rd. *Lut* —4A **16**
Abercorn Rd. *Lut* —2H **13**
Abigail Clo. *Lut* —2H **15**
Abigail Ct. *Lut* —2H **15**
Abingdon Rd. *Lut* —2A **14**

Acacia Clo. *L Buz* —6K **27**
Acorn Clo. *Lut* —2K **15**
Acorns, The. *Lut* —1B **14**
Acworth Ct. *Lut* —7A **8**
Acworth Cres. *Lut* —7A **8**
Adams Bottom. *L Buz* —3F **27**
Adastral Av. *L Buz* —6J **27**
Addington Way. *Lut* —2B **14**
Adelaide St. *Lut* —6H **15** (5A **29**)
Adlington Ct. *Lut* —7A **8**
Adstone Rd. *Cad* —3D **22**

Aidans Clo. *Dunst* —4A **12**
Ailsworth Rd. *Lut* —6D **8**
Ainsland Ct. *Lut* —3K **13**
Airport Executive Pk. *Lut* —5C **16**
Airport Way. *Lut* —3J **23**
(LU1, in two parts)
Airport Way. *Lut* —7C **16**
(LU2)
Albany Ct. *Lut* —5F **15**
Albany Rd. *L Buz* —5G **27**
Albermarle Clo. *Lut* —2H **13**

Albert Ct. *Dunst* —6E **12**
Albert Rd. *Lut* —7J **15** (7D **29**)
Albion Ct. *Dunst* —5D **12**
Albion Ct. *Lut* —5J **15** (2C **29**)
Albion Path. *Lut* —2C **29**
(in two parts)
Albion Rd. *Lut* —5J **15** (2C **29**)
Albion St. *Dunst* —5D **12**
Albury Clo. *Lut* —3E **8**
Aldbanks. *Dunst* —4B **12**
Aldenham Clo. *Lut* —2H **13**
Alder Cres. *Lut* —1E **14**
Alderton Clo. *Lut* —4D **16**
Aldhous Clo. *Lut* —7F **9**
Aldwyck Ho. *Dunst* —3C **12**
Alesia Rd. *Lut* —6C **8**
Alexandra Av. *Lut* —2G **15**
Alexandra Ct. *L Buz* —4E **26**
Aley Green. —4D 22
Alfred St. *Dunst* —5E **12**
Alfriston Clo. *Lut* —2C **16**
Allenby Av. *Dunst* —4J **13**
Allen Clo. *Dunst* —5F **13**
Allendale. *Lut* —3E **8**
All Saints Rd. *H Reg* —7D **6**
Alma Farm Rd. *Tod* —5A **4**
Alma Link. *Lut* —6H **15** (4B **29**)
(in two parts)
Alma St. *Lut* —6H **15** (4B **29**)
Alma St. Pas. *Lut* —4B **29**
(in two parts)
Almond Clo. *Lut* —1F **15**
(Britannia Av.)
Almond Clo. *Lut* —7E **8**
(Trinity Rd.)
Almond Rd. *L Buz* —4H **27**
Alpine Way. *Lut* —4B **8**
Alsop Clo. *H Reg* —7D **6**
Althorp Rd. *Lut* —4G **15**
Alton Retreat. *Lut* —7E **29**
Alton Rd. *Lut* —1K **23** (7E **29**)
Alwins Fld. *L Buz* —4C **26**
Alwyn Clo. *Lut* —3J **15**
Amberley Clo. *Lut* —1D **16**
Ambleside. *Lut* —7D **8**
Ames Clo. *Lut* —3D **8**
Amhurst Rd. *Lut* —2H **13**
Andover Clo. *Lut* —6A **8**
Angel Clo. *Lut* —2B **14**
Angel Cotts. *Offl* —2K **11**
Angels La. *H Reg* —7D **6**
Angus Clo. *Lut* —2J **13**
Anmer Gdns. *Lut* —1K **13**
Anstee Rd. *Lut* —6K **7**
Anthony Gdns. *Lut* —1H **23** (7A **29**)
Anvil Ct. *Lut* —7C **8**
Apex Bus. Cen. *Dunst* —3E **12**
Apollo Clo. *Dunst* —6F **13**
Appenine Way. *L Buz* —4J **27**
Appleby Gdns. *Dunst* —6D **12**
Applecroft Rd. *Lut* —1C **16**
Apple Glebe. *Bar C* —3C **28**
Apple Gro. *Lut* —1H **13**
Apple Tree Clo. *L Buz* —6C **26**
Aquila Rd. *L Buz* —4J **27**
Arbour Clo. *Lut* —3E **8**
Arbroath Rd. *Lut* —3B **8**
Arcade, The. *Lut* —4G **15**
Archway Pde. *Lut* —1D **14**
(off Marsh Rd.)
Archway Rd. *Lut* —1C **14**
Arden Pl. *Lut* —4J **15** (1D **29**)
Ardleigh Grn. *Lut* —4D **16**
Ardley Clo. *Dunst* —1E **20**
Arenson Way. *H Reg* —3D **12**
Argyll Av. *Lut* —3G **15**
Aries Ct. *L Buz* —4H **27**
Armitage Gdns. *Lut* —4B **14**
Arnald Way. *H Reg* —1C **12**
Arncliffe Cres. *Lut* —4J **15** (1C **29**)
Arndale Cen. *Lut* —6J **15** (5C **29**)
Arndale Ct. *Lut* —5K **15** (3E **29**)
(off Moulton Ri.)
Arnold Clo. *Bar C* —3C **28**
Arnold Clo. *Lut* —2A **16**
Arnold Ct. *Dunst* —6C **12**
Arran Ct. *Lut* —6H **15** (5A **29**)

Arrow Clo. *Lut* —6C **8**
Arthur St. *Lut* —7J **15** (7C **29**)
Arundel Rd. *Lut* —2E **14**
Ascot Dri. *L Buz* —6C **26**
Ascot M. *L Buz* —6C **26**
Ascot Rd. *Lut* —3F **15**
Ashburnham Cres. *L Buz* —6D **26**
Ashburnham Rd. *Lut* —6F **15** (5A **29**)
Ashby Dri. *Bar C* —2C **28**
Ashcroft. *Dunst* —4B **12**
Ashcroft Rd. *Lut* —1B **16**
Ashdale Gdns. *Lut* —3E **8**
Ashfield Way. *Lut* —6E **8**
Ash Gro. *Dunst* —5F **13**
Ash Gro. *L Buz* —4F **27**
Ashlong Clo. *L Buz* —5H **27**
Ash Rd. *Lut* —5F **15**
Ashton Rd. *Dunst* —4D **12**
Ashton Rd. *Lut* —1J **23** (7C **29**)
Ashton Sq. *Dunst* —5D **12**
Ash Tree Rd. *H Reg* —6D **6**
Ashwell Av. *Lut* —4A **8**
Ashwell Pde. *Lut* —4A **8**
(off Ashwell Av.)
Ashwell St. *L Buz* —4F **27**
Ashwell Wlk. *H Reg* —6G **7**
Aspley Clo. *Lut* —2G **13**
Astley Grn. *Lut* —3D **16**
(off Kempsey Clo.)
Astra Ct. *Lut* —3K **15**
Astrey Clo. *Harl* —1H **5**
Atherstone Rd. *Lut* —4B **14**
Atholl Clo. *Lut* —4B **8**
Atterbury Av. *L Buz* —4G **27**
Aubrey Gdns. *Lut* —6K **7**
(off Toddington Rd.)
Audley Pl. *Lut* —4A **16**
Austin Rd. *Lut* —1F **15**
Avebury Av. *Lut* —1H **15**
Avenue Grimaldi. *Lut* —2E **14**
Avenue, The. *Dunst* —6A **12**
Avenue, The. *Lut* —7B **8**
Avon Ct. *Lut* —5G **15**
Avondale Rd. *Lut* —5G **15**
Avon Wlk. *L Buz* —1G **27**
Axe Clo. *Lut* —6C **8**
Aydon Rd. *Lut* —6F **9**
Aynscombe Clo. *Dunst* —5B **12**

Back St. *Lut* —5J **15** (2D **29**)
Badgers Ga. *Dunst* —6A **12**
Bagwicks Clo. *Lut* —5C **8**
Bailey St. *Lut* —7K **15** (7E **29**)
Bakers La. *Kens* —6G **21**
Baker St. *L Buz* —5F **27**
Baker St. *Lut* —1J **23** (7C **29**)
(in two parts)
Bakewell Clo. *Lut* —4A **14**
Balcombe Clo. *Lut* —1C **16**
Baldock Clo. *Lut* —2H **13**
Balmore Wood. *Lut* —3F **9**
Bampton Rd. *Lut* —4K **13**
Banbury Clo. *Lut* —1D **14**
Bancroft Rd. *Lut* —7F **9**
Bank Clo. *Lut* —1A **14**
Barbers La. *Lut* —4C **29**
Barclay Ct. *Lut* —5K **15** (3E **29**)
Barford Ri. *Lut* —4D **16**
Barking Clo. *Lut* —6K **7**
Barley Brow. *Dunst* —2A **12**
Barleycorn Clo. *L Buz* —5J **27**
Barleycorn, The. *Lut* —2A **29**
Barleyfield Way. *H Reg* —1C **12**
Barley La. *Lut* —7A **8**
Barleyvale. *Lut* —4E **8**
Barnabas Rd. *L Buz* —6C **26**
Barnard Rd. *Lut* —6E **14**
Barnfield Av. *Lut* —7H **9**
Barnston Clo. *Lut* —4D **16**
Barons Ct. *Lut* —1B **29**
Barratt Ind. Pk. *Lut* —7C **16**
Barrie Av. *Dunst* —2A **12**
Barrowby Clo. *Lut* —4D **16**
Barrow Path. *L Buz* —4F **27**
Barton Av. *Dunst* —5F **13**
Barton Hill Rd. *S'ley* —7B **28**

Barton Ind. Est. *Bar C* —1A **28**
Barton-le-Clay. —3C 28
Barton Rd. *Harl* —1H **5**
Barton Rd. *S'hoe* —3A **28**
Barton Rd. *S'ley* —7A **28** & 1F **9**
Basildon Ct. *L Buz* —5E **26**
Bassett Ct. *L Buz* —5E **26**
Bassett Rd. *L Buz* —5E **26**
Bath Rd. *Lut* —3H **15**
Baulk, The. *Lut* —2D **10**
Bay Clo. *Lut* —6K **7**
Baylam Dell. *Lut* —4E **16**
Beacon Av. *Dunst* —6A **12**
Beaconsfield. *Lut* —5B **16**
Beadlow Rd. *Lut* —1H **13**
Beale St. *Dunst* —4C **12**
Beanley Clo. *Lut* —3E **16**
Beaudesert. *L Buz* —5F **27**
Beaumont Rd. *Lut* —3F **15**
Beckbury Clo. *Lut* —3E **16**
Beckham Clo. *Lut* —5H **9**
Bedford Ct. *H Reg* —1D **12**
Bedford Gdns. *Lut* —5H **15** (2B **29**)
Bedford Rd. *Bar C* —2C **28**
Bedford Rd. *H Reg* —4C **6**
Bedford Sq. *Lut* —1D **12**
Bedford St. *L Buz* —5F **27**
Beech Clo. *Dunst* —1G **21**
Beech Grn. *Dunst* —4B **12**
Beech Gro. *L Buz* —5D **26**
Beech Hill. *Lut* —5C **10**
Beech Hill Path. *Lut* —4F **15**
Beech Rd. *Dunst* —2F **21**
Beech Rd. *Lut* —5G **15**
Beech Tree Way. *H Reg* —7D **6**
Beechwood Ct. *Dunst* —6B **12**
Beechwood Mobile Homes. *Cad* —2C **22**
Beechwood Rd. *Lut* —1B **14**
Beecroft. —5B 12
Beecroft Way. *Dunst* —5B **12**
Belfry, The. *Lut* —6J **9**
Belgrave Rd. *Lut* —7B **8**
Bell All. *L Buz* —5F **27**
Bellerby Ri. *Lut* —6K **7**
Belmont Rd. *Lut* —6G **15**
Belper Rd. *Lut* —3B **14**
Belsham Pl. *Lut* —3E **16**
Belsize Rd. *Lut* —2G **15**
Belvedere Rd. *Lut* —7F **9**
Bembridge Gdns. *Lut* —5D **8**
Benington Clo. *Lut* —7J **9**
Bennetts Clo. *Dunst* —6D **12**
Benning Av. *Dunst* —5B **12**
Benson Ct. *Lut* —5D **8**
Bentley Ct. *Lut* —5G **15**
(off Moor St.)
Beresford Rd. *Lut* —4E **14**
Berkeley Path. *Lut* —5J **15** (2C **29**)
Bernard Rd. *Dunst* —4E **12**
Berrow Clo. *Lut* —3E **16**
Berry Leys. *Lut* —5C **8**
Bert Collins Ct. *Lut* —6G **15**
(off Wolston Clo.)
Besford Clo. *Lut* —3E **16**
Bethune Clo. *Lut* —7F **15**
Bethune Ct. *Lut* —7F **15**
Beverley Rd. *Lut* —4D **14**
Bewdley Dri. *L Buz* —5B **26**
Bexhill Rd. *Lut* —3D **16**
Bibshall Cres. *Dunst* —7E **12**
Bideford Ct. *L Buz* —4B **26**
Bideford Gdns. *Lut* —1H **15**
Bideford Grn. *L Buz* —4B **26**
Bidwell. —6C 6
Bidwell Clo. *H Reg* —7D **6**
Bidwell Hill. *H Reg* —7C **6**
Bidwell Path. *H Reg* —1D **12**
Bigthan Rd. *Dunst* —5E **12**
Billington Ct. *L Buz* —6G **27**
Billington Rd. *L Buz* —6G **27**
Bilton Way. *Lut* —5D **14**
Binder Clo. *Lut* —1G **13**
Binder Ct. *Lut* —1G **13**
(off Binder Clo.)
Binham Clo. *Lut* —5H **9**
Birchen Gro. *Lut* —2K **15**
Birch Link. *Lut* —4G **15**

Birch Side—Carterweys

Birch Side. *Dunst* —7F **13**
  (in two parts)
Birchside Path. *Dunst* —7F **13**
Birdsfoot La. *Lut* —7F **9**
Birling Dri. *Lut* —7C **10**
Birtley Cft. *Lut* —4E **16**
Biscot. —3G 15
Biscot Rd. *Lut* —2F **15**
Bishop Clo. *L Buz* —6J **27**
Bishopscote Rd. *Lut* —2F **15**
Bishops Ct. *Lut* —1B **29**
Blackburn Rd. *H Reg* —2D **12**
Blacksmith Comn. *Chal* —2G **7**
Blacksmiths Ct. Dunst —5D **12**
  (off Matthew St.)
Black Swan La. *Lut* —7E **8**
Blackthorn Dri. *Lut* —1C **16**
Black Thorn Rd. *H Reg* —6E **6**
Blakedown Rd. *L Buz* —5B **26**
Blakelands. *Bar C* —3D **28**
Blakeney Dri. *Lut* —5G **9**
Blandford Av. *Lut* —6H **9**
Blaydon Rd. *Lut* —5A **16**
Blenheim Cres. *Lut* —3G **15**
Bloomfield Av. *Lut* —4A **16**
Bloomsbury Gdns. *H Reg* —7F **7**
Blows Rd. *Dunst* —6F **13**
Bluebell Wood Clo. *Lut* —6D **14**
Blundell Rd. *Lut* —2E **14**
Blyth Pl. *Lut* —7B **29**
Bodmin Rd. *Lut* —1D **14**
Bolingbroke Rd. *Lut* —7F **15**
Bolney Grn. *Lut* —2D **16**
Bolton Rd. *Lut* —6K **15** (6E **29**)
Bonnick Clo. *Lut* —7G **15**
Booth Pl. *Eat B* —4E **18**
Borders Way. H Reg —6E **6**
  (off Black Thorn Rd.)
Borough Rd. *Dunst* —6F **13**
Borrowdale Av. *Dunst* —7E **12**
Boscombe Rd. *Dunst* —3E **12**
Bosmore Rd. *Lut* —6D **8**
Bossard Cen. *L Buz* —5E **26**
Bossard Ct. *L Buz* —5F **27**
Bossington Clo. *Lut* —4E **26**
Bossington La. *L Buz* —5D **26**
Bottom Dri. *Eat B* —5K **19**
Bowbrook Va. *Lut* —4F **17**
Bower Clo. *Eat B* —5F **19**
Bower Heath La. *Hpdn* —7J **25**
Bower La. *Eat B* —5F **19**
Bowland Cres. *Dunst* —7C **12**
Bowles Way. *Dunst* —1F **21**
Bowling Grn. La. *Lut* —3J **15**
Bowmans Clo. *Dunst* —6E **12**
Bowmans Way. *Dunst* —6E **12**
Boxgrove Clo. *Lut* —7C **10**
Boxted Clo. *Lut* —7A **8**
Boyle Clo. *Lut* —5J **15** (2C **29**)
Braceby Clo. *Lut* —6D **8**
Brache Ct. *Lut* —7K **15** (7E **29**)
Brackendale Gro. *Lut* —7E **8**
Bracklesham Gdns. *Lut* —2D **16**
Bracknell Clo. *Lut* —2H **13**
Bradford Rd. *Tod* —7C **4**
Bradford Way. *Tod* —6B **4**
Bradgers Hill Rd. *Lut* —1J **15**
Bradley Rd. *Lut* —4A **14**
Bradshaws Clo. *Bar C* —2C **28**
Braintree Clo. *Lut* —2H **13**
Braithwaite Ct. Lut —1A **29**
Bramble Clo. *L Buz* —6H **27**
Bramble Clo. *Lut* —1A **14**
Bramble Rd. *Lut* —1A **14**
Bramhanger Acre. *Lut* —5B **8**
Bramingham Bus. Pk. *Lut* —4F **9**
Bramingham La. *Lut* —2E **8**
Bramingham Rd. *Lut* —7C **8**
Brampton Ri. *Dunst* —7E **12**
Brandreth Av. *Dunst* —4G **13**
Branton Clo. *Lut* —3E **16**
Brantwood Rd. *Lut* —6G **15**
Bray's Ct. *Lut* —2B **16**
Brays Rd. *Lut* —2B **16**
Brazier Clo. *Bar C* —2B **28**
Breachwood Green. —4K 17
Brecon Clo. *Lut* —7H **15** (7A **29**)

Brendon Av. *Lut* —4C **16**
Brentwood Clo. *H Reg* —6F **7**
Bretts Mead. *Lut* —1G **23**
Bretts Mead Ct. *Lut* —7G **15**
Brewers Hill Rd. *Dunst* —4A **12**
Brian Rd. *Harl* —1J **5**
Briar Clo. *Lut* —1C **16**
Brickhill Farm Pk. Homes. *Lut* —6G **23**
Brick Kiln La. *C'hoe* —1F **17**
Brickly Rd. *Lut* —7K **7**
Bridgeman Dri. *H Reg* —7F **7**
Bridge St. *L Buz* —6E **26**
Bridge St. *Lut* —6J **15** (4C **29**)
Bridle Way. *Tod* —5E **4**
Brierley Clo. *Dunst* —1E **20**
Brierley Clo. *Lut* —3D **16**
Brightwell Av. *Tot* —3J **19**
Brill Clo. *Lut* —3D **16**
Brimfield Clo. Lut —3D **16**
  (off Kempsey Clo.)
Bristol Rd. *Lut* —1E **14**
Britain St. *Dunst* —5E **12**
Britannia Av. *Lut* —7F **9**
Brittany Ct. Dunst —5E **12**
  (off High St. S.)
Brive Rd. *Dunst* —6G **13**
Broadacres. *Lut* —6H **9**
Broad Mead. *Lut* —2E **14**
Broad Oak Ct. Lut —2D **16**
  (off Handcross Rd.)
Broad Rush Grn. *L Buz* —4D **26**
Broad Wlk. *Dunst* —4D **12**
Brocket Ct. *Lut* —6B **8**
Bromley Gdns. *H Reg* —7F **7**
  (in two parts)
Brompton Clo. *Lut* —4D **8**
Brook Ct. *Lut* —2A **29**
Brookend Dri. *Bar C* —2B **28**
Brookfield Av. *H Reg* —7E **6**
Brookfield Pk. *H Reg* —7E **6**
Brookfield Park Cvn. Pk. *Tot* —2F **19**
Brookfield Wlk. *H Reg* —1F **13**
Brooklands Av. *L Buz* —6G **27**
Brooklands Clo. *Lut* —6A **8**
Brooklands Dri. *L Buz* —6G **27**
Brookside Wlk. *L Buz* —5H **27**
Brook St. *L Buz* —5H **27**
Brook St. *Lut* —5H **15** (2A **29**)
Broomhills Rd. *L Buz* —3F **27**
Brooms Rd. *Lut* —5A **16**
Broughton Av. *Lut* —7G **9**
Broughton Av. *Tod* —5A **4**
Browning Rd. *Lut* —3J **13**
Brownings La. *B Grn* —4K **17**
Brownlow Av. *Edl* —7F **19**
Brownlow Ri. *Tot* —2G **19**
Brown's Clo. *Lut* —7B **8**
Browns Cres. *Harl* —1H **5**
Brownslea. *L Buz* —5H **27**
Broxley Mead. *Lut* —7A **8**
Brunel Ct. *Lut* —2G **13**
Brunel Rd. *Lut* —2G **13**
Brunswick St. *Lut* —5J **15** (2D **29**)
Brussels Way. *Lut* —3B **8**
Bryant Way. *Tod* —6B **4**
Bryony Way. *Dunst* —4A **12**
Buchanan Ct. *Lut* —5B **16**
Buchanan Dri. *Lut* —5B **16**
Buckingham Dri. *Lut* —3D **16**
Buckle Clo. *Lut* —5D **8**
Buckwood Av. *Dunst* —4G **13**
Buckwood La. *Stud* —6D **20**
Buckwood Rd. *Kens & Mark* —7H **21**
Bull Pond La. *Dunst* —5D **12**
Bunhill Clo. *Dunst* —5B **12**
Bunkers La. *L Buz* —6C **26**
Bunting Rd. *Lut* —7J **7**
Bunyans Clo. *Lut* —7E **8**
Bunyans Wlk. *Harl* —1H **5**
Burfield Ct. *Lut* —2D **16**
Burford Clo. *Lut* —3D **8**
Burford Wlk. *H Reg* —7G **7**
Burges Clo. *Dunst* —1F **21**
Burnham Rd. *Lut* —3B **16**
Burnt Clo. *Lut* —5D **8**
Burr Clo. *Bar C* —1C **28**

Burrs Pl. *Lut* —7J **15** (6D **29**)
Burr St. *Dunst* —5D **12**
Burr St. *Lut* —5J **15** (2D **29**)
Bury Clo. *Harl* —2H **5**
Bury Park. —5G 15
Bury Pk. Rd. *Lut* —4G **15**
Bush Clo. *Tod* —6B **4**
Bushey Clo. *Whip* —5B **20**
Bushmead Rd. *Lut* —7J **9**
Butely Rd. *Lut* —6K **7**
Bute Sq. Lut —4C **29**
Bute St. *Lut* —6J **15** (4C **29**)
  (in two parts)
Bute St. Mall. Lut —6J **15** *(4C **29**)*
  (off Arndale Cen.)
Butlin Rd. *Lut* —6F **15**
Butlin's Path. *Lut* —5F **15**
Buttercup Clo. *Dunst* —6C **12**
Buttercup La. *Dunst* —7C **12**
Butterfield Grn. Rd. *Lut* —6A **10**
Buttermere Av. *Dunst* —7E **12**
Butterworth Path. *Lut* —5J **15** (2C **29**)
Buxton Rd. *Lut* —6H **15** (5A **29**)
Buzzard Rd. *Lut* —1J **13**
Byfield Clo. *Lut* —4K **13**
Byfield Clo. *Tod* —5A **4**
Byford Way. *L Buz* —7J **27**
Byron Rd. *Lut* —3K **13**
Byslips Rd. *Stud* —7G **21**

Caddington. —2C 22
Caddington Comn. *Mark* —6C **22**
Caddington Pk. Lut —4K **13**
  (off Skimpot La.)
Cades Clo. *Lut* —7E **14**
Cades La. *Lut* —7E **14**
Cadia Clo. *Cad* —2C **22**
Calcutt Clo. *Dunst* —3H **13**
Calder Gdns. *L Buz* —5A **26**
Caleb Clo. *Lut* —3D **14**
California. —7C 12
Calnwood Rd. *Lut* —3K **13**
Calverton Rd. *Lut* —6D **8**
Camberton Rd. *L Buz* —6D **26**
Cambridge St. *Lut* —1J **23** (7D **29**)
Camford Way. *Lut* —4J **7**
Campania Gro. *Lut* —4E **8**
Camp Dri. *H Reg* —7D **6**
Campian Clo. *Dunst* —4A **12**
Canberra Gdns. *Lut* —6F **9**
Candale Clo. *Dunst* —7E **12**
Canesworde Rd. *Dunst* —6C **12**
Cannon Cinema. —6J **15** (5C **29**)
Cannon La. *Lut* —7B **10**
Canterbury Clo. *Lut* —1D **14**
Cantilupe Clo. *Eat B* —4D **18**
Capability Grn. *Lut* —2K **23**
Capron Rd. *Dunst* —3C **12**
Capron Rd. *Lut* —1C **14**
Capshill Av. *L Buz* —5H **27**
Cardiff Gro. *Lut* —6H **15** (4A **29**)
Cardiff Rd. *Lut* —6H **15** (5A **29**)
Cardigan Ct. *Lut* —3B **29**
  (Cardigan St.)
Cardigan Ct. *Lut* —5H **15** (3A **29**)
  (Telford Way)
Cardigan Gdns. *Lut* —3B **29**
Cardigan St. *Lut* —6H **15** (4A **29**)
Cardinal Ct. *Lut* —1B **29**
Carfax Clo. *Lut* —2G **13**
Carina Dri. *L Buz* —5H **27**
Carisbrooke Rd. *Lut* —4C **14**
Carlisle Clo. *Dunst* —7D **12**
Carlow Ct. *Dunst* —5C **12**
Carlton Clo. *Lut* —3G **15**
Carlton Cres. *Lut* —2G **15**
Carlton Gro. *L Buz* —1F **27**
Carmelite Rd. *Lut* —2J **13**
Carnation Clo. *L Buz* —3F **27**
Carnegie Gdns. *Lut* —4E **8**
Carol Clo. *Lut* —1F **15**
Carolyn Ct. *Lut* —1F **15**
Carron Clo. *L Buz* —5A **26**
Carsdale Clo. *Lut* —6E **8**
Carteret Rd. *Lut* —4C **16**
Carterweys. *Dunst* —3G **13**

Cartmel Dri. *Dunst* —7D **12**
Cartwell Bus. Pk. *L Buz* —7F **27**
Castle Clo. *Tot* —2G **19**
Castle Cft. Rd. *Lut* —6E **14**
Castle Hill Rd. *Tot* —1F **19**
Castle St. *Lut* —7J **15** (7C **29**)
  (in two parts)
Catchacre. *Dunst* —6C **12**
Catesby Grn. *Lut* —3E **8**
Catherall Rd. *Lut* —6F **9**
Catsbrook Rd. *Lut* —6F **9**
Cavalier Clo. *Lut* —6E **8**
Cavendish Rd. *Lut* —3F **15**
Caxton Ct. *Lut* —1D **14**
Cedar Clo. *Lut* —2G **13**
Cedars, The. *Dunst* —6E **12**
Cedars Way. *L Buz* —6D **26**
Celandine Dri. *Lut* —4E **8**
Cemetery Rd. *H Reg* —1D **12**
Centauri Clo. *L Buz* —4H **27**
Centenary Ct. *Lut* —1H **13**
Cetus Cres. *L Buz* —5H **27**
Chadwell Clo. *Lut* —4K **15** (1E **29**)
Chadwick Ct. *Dunst* —4C **12**
Chalfont Way. *Lut* —3C **16**
Chalgrave Manor Golf Club. —1C **6**
Chalgrave Rd. *Teb & Tod* —1A **6**
Chalkdown. *Lut* —6J **9**
Chalk Hill. —1A 12
Chalk Hill. *Lut* —1F **17**
Challney Clo. *Lut* —3B **14**
Challoner Ct. *L Buz* —7G **27**
Chalton. —3G 7
Chalton Heights. *Chal* —3G **7**
Chalton Rd. *Lut* —7A **8**
Chamberlains Gdns. *L Buz* —2F **27**
Chandos Rd. *Lut* —4D **14**
Chanfield Clo. *Lut* —2H **13**
Chapel Clo. *Lut* —4G **9**
Chapel Clo. *Tod* —5B **4**
Chapel La. *Dunst* —5A **18**
Chapel La. *Tot* —2F **19**
Chapel Path. *H Reg* —1D **12**
Chapel Path. *L Buz* —4F **27**
Chapel Rd. *B Grn* —5K **17**
Chapel St. *Lut* —7J **15** (6C **29**)
  (in two parts)
Chapel Viaduct. *Lut* —6J **15** (5C **29**)
Chapter Ho. Rd. *Lut* —3J **13**
Chard Dri. *Lut* —3F **9**
Charles St. *Lut* —4K **15** (1E **29**)
Charlottes Ct. *Lut* —4B **29**
Charlwood Rd. *Lut* —4K **13**
Charmbury Ri. *Lut* —1A **16**
Charndon Clo. *Lut* —3F **9**
Chartmoor Rd. *L Buz* —7F **27**
Chartwell Dri. *Lut* —2J **15**
Chase St. *Lut* —1J **23** (7D **29**)
Chatsworth Rd. *Lut* —4F **15**
Chatteris Clo. *Lut* —1B **14**
Chatton Clo. *Lut* —3E **16**
Chaucer Rd. *Lut* —3G **15**
Chaul End. —5A 14
Chaul End La. *Lut* —4C **14**
Chaul End Rd. *Cad* —5A **14**
Chaul End Rd. *Lut* —4K **13**
Chaworth Grn. *Lut* —7A **8**
Cheapside. *Lut* —5C **29**
  (Arndale Cen.)
Cheapside. *Lut* —6J **15** (4D **29**)
  (Silver St.)
Cheapside Sq. *Lut* —4C **29**
Chelsea Gdns. *H Reg* —7F **7**
Chelsea Grn. *L Buz* —6B **26**
Chelsworth Clo. *Lut* —4D **16**
Cheney Clo. *Tod* —5B **4**
Cheney Rd. *Lut* —7A **8**
Chequer Ct. *Lut* —7K **15** (6E **29**)
Chequers, The. *Eat B* —5F **19**
Chequer St. *Lut* —7K **15** (6E **29**)
Cherrycourt Way. *L Buz* —6J **27**
Cherrycourt Way Ind. Est. *L Buz* —6J **27**
Cherry Tree Clo. *Lut* —4A **16**
Cherry Tree Wlk. *H Reg* —6D **6**
Cherry Tree Wlk. *L Buz* —5D **26**
Chertsey Clo. *Lut* —5C **16**
Chesford Rd. *Lut* —1C **16**

Cheslyn Clo. *Lut* —3E **16**
Chester Av. *Lut* —2C **14**
Chester Clo. *Lut* —3D **14**
Chestnut Av. *Lut* —3K **7**
Chestnut Ct. Dunst —6E 12
  (off High St. S.)
Chestnut Hill. *L Buz* —4C **26**
Chestnut Ri. *L Buz* —4C **26**
Cheveralls, The. *Dunst* —7E **12**
Cheviot Clo. *L Buz* —4B **26**
Cheviot Clo. *Lut* —5B **8**
Cheviot Rd. *Lut* —5B **8**
Cheyne Clo. *Dunst* —2B **12**
Chichester Clo. *Dunst* —6G **13**
Chiltern Av. *Edl* —7E **18**
Chiltern Ct. *Dunst* —4C **12**
Chiltern Gdns. *L Buz* —1F **27**
Chiltern Gdns. *Lut* —2D **14**
Chiltern Green. —3G 25
Chiltern Pk. *Dunst* —3F **13**
Chiltern Pk. Ind. Est. *Dunst* —3F **13**
Chiltern Ri. *Lut* —7H **15** (6A **29**)
Chiltern Rd. *Bar C* —3C **28**
Chiltern Rd. *Dunst* —5C **12**
Chilterns, The. *Kens* —6H **21**
Chilterns, The. *L Buz* —6H **27**
Chiltern Trad. Est. *L Buz* —7F **27**
Chiltern Vw. Cvn. Pk. *Eat B* —5C **18**
Chobham St. *Lut* —7K **15** (6E **29**)
Chobham Wlk. *Lut* —6D **29**
Christchurch Ct. Dunst —4C 12
  (off High St. N.)
Christian Clo. *Harl* —2H **5**
Church Av. *L Buz* —6F **27**
Church Clo. *Dunst* —5E **12**
Church Cft. *Edl* —7E **18**
Church End. —7E 18
(Edlesborough)
Church End. —3G 21
(Kensworth)
Church End. —3H 19
(Totternhoe)
Church End. *Edl* —7E **18**
Church End. *H Reg* —7C **6**
Church End. *Mark* —7B **22**
Churchfield Rd. *H Reg* —7D **6**
Church Gate. —7E 18
Church Grn. *Tot* —3H **19**
Churchill Clo. *S'ley* —7A **28**
Churchill Rd. *Bar C* —2C **28**
Churchill Rd. *Dunst* —1F **21**
Churchill Rd. *L Buz* —3G **27**
Churchill Rd. *Lut* —4E **14**
Churchills. *Harl* —1H **5**
Church La. *Eat B* —4E **18**
Church Rd. *Bar C* —4D **28**
Church Rd. *Harl* —1H **5**
Church Rd. *L Buz* —5D **26**
Church Rd. *S End* —4G **23**
Church Rd. *S'ley* —7A **28**
Church Rd. *S'dn* —7J **5**
Church Rd. *Tot* —4H **19**
Church Sq. *L Buz* —6E **26**
Church Sq. *Tod* —5B **4**
Church St. *Dunst* —5D **12**
Church St. *L Buz* —4F **27**
Church St. *Lut* —6J **15** (5D **29**)
Church Wlk. *Dunst* —5D **12**
Cicero Dri. *Lut* —4E **8**
Cino UK Cinema. —5J **15** (3C **29**)
Clare Ct. *Lut* —2D **14**
Claremont Rd. *Lut* —4F **15**
Clarence Rd. *L Buz* —4F **27**
Clarendon Ct. *Lut* —1B **29**
Clarendon Rd. *Lut* —4H **15** (1B **29**)
Clarion Clo. *Offl* —2J **11**
Clarkes Way. *H Reg* —1E **12**
Clark's Pightle. Bar C —3C 28
  (off Bedford Rd.)
Claverley Grn. *Lut* —3E **16**
Claydon Clo. *Lut* —5G **9**
Claydown Way. *S End* —5F **23**
Clay Hall Rd. *Kens* —7G **21**
Cleavers, The. *Tod* —6B **4**
Cleavers Wlk. *Tod* —6B **4**
Clevedon Rd. *Lut* —3B **16**
Cleveland Dri. *L Buz* —4B **26**

Clifford Cres. *Lut* —7B **8**
Clifton Rd. *Dunst* —4C **12**
Clifton Rd. *Lut* —5F **15**
Clinton Av. *Lut* —1K **15**
Clipstone Brook Ind. Pk. *L Buz* —5J **27**
Clipstone Cres. *L Buz* —5H **27**
Clive Ct. *Lut* —4J **15**
Cloisters Rd. *Lut* —2K **13**
Cloisters, The. H Reg —6E 6
  (off Sycamore Rd.)
Close, The. *Lut* —7E **8**
Clover Clo. *Lut* —2J **13**
Clydesdale Ct. *Lut* —2J **13**
Clydesdale Rd. *Lut* —2J **13**
Cobden St. *Lut* —4J **15** (1D **29**)
Cobham Ct. *Lut* —6E **29**
Cockernhoe. —2E 16
Colebrook Av. *Lut* —5A **8**
Colemans Green. —4K 17
Colemans Rd. *B Grn* —4K **17**
Colin Rd. *Lut* —3K **15**
Colin Rd. Footpath. Lut —4K 15
  (off Colin Rd.)
College Ho. *Lut* —5E **29**
Collingdon Ct. *Lut* —5H **15** (3B **29**)
Collingdon St. *Lut* —5H **15** (3A **29**)
Collings Wells Clo. *Cad* —2C **22**
Collingtree. *Lut* —1B **16**
Collingwood Clo. *Lut* —2B **14**
Collins Wood Res. Pk. *Cad* —1C **22**
Coltsfoot Grn. *Lut* —7J **7**
Columba Dri. *L Buz* —4J **27**
Colwell Ct. *Lut* —3E **16**
Colwell Ri. *Lut* —3E **16**
Commerce Way. *Lut* —6K **27**
Commerce Way Ind. Est. *L Buz* —6K **27**
Common La. *Hpdn* —7K **25**
Common La. *S'dn* —7J **5**
Common Rd. *Kens* —5E **20**
Comp Ga. *Eat B* —4E **18**
Comp, The. *Eat B* —4E **18**
Compton Av. *Lut* —1B **14**
Concorde St. *Lut* —5K **15** (2E **29**)
Concord Way. *L Buz* —7K **27**
Conger La. *Tod* —5C **4**
Coniston Rd. *L Buz* —5B **26**
Coniston Rd. *Lut* —7D **8**
Connaught Rd. *Lut* —4C **14**
Conquest Rd. *H Reg* —7G **7**
Constable Clo. *H Reg* —7F **7**
Constable Ct. *Lut* —3E **14**
Conway Clo. *H Reg* —7G **7**
Conway Rd. *Lut* —4F **15**
Cookfield Clo. *Dunst* —5A **12**
Cook's Mdw. *Edl* —6E **18**
Coombe Dri. *Dunst* —6A **12**
Coopers Way. *H Reg* —1C **12**
Copenhagen Clo. *Lut* —4B **8**
Copper Beech Way. *L Buz* —2F **27**
Copperfields. *Lut* —1A **14**
Copperfields Clo. *H Reg* —1F **13**
Copse Way. *Lut* —4B **8**
Copt Hall. —2E 24
Copthorne. *Lut* —2D **16**
Coral Clo. *Eat B* —4E **18**
Corbet Ride. *L Buz* —4C **26**
Corbet Sq. *L Buz* —4C **26**
Corbridge Dri. *Lut* —3E **16**
Corinium Gdns. *Lut* —4E **8**
Corncastle Path. *Lut* —7H **15**
Corncastle Rd. *Lut* —7G **15** (7A **29**)
Corncrake Clo. *Lut* —7C **10**
Cornel Clo. *Lut* —6E **14**
Cornel Ct. *Lut* —6E **14**
Cosgrove Way. *Lut* —4B **14**
Cotefield. *Lut* —2A **14**
Cotefield Dri. *L Buz* —2G **27**
  (in two parts)
Cotswold Dri. *L Buz* —4B **26**
Cotswold Farm Bus. Pk. *Cad* —4B **22**
Cotswold Gdns. *Lut* —5A **8**
Coulson Ct. *Lut* —5C **14**
Countess Ct. *Lut* —1B **29**
Coupees Path. *Lut* —5J **15** (2C **29**)
Court Dri. *Dunst* —4D **12**
Courtlands, The. L Buz —6D 26
  (off Mentmore Rd.)

Elmside. *Kens* —6G **21**
Elms, The. *L Buz* —5D **26**
Elmtree Av. *C'hoe* —2E **16**
Elmwood Cres. *Lut* —1J **15**
Elveden Clo. *Lut* —6J **9**
Elvington Gdns. *Lut* —3F **9**
Ely Way. *Lut* —1B **14**
Emerald Rd. *Lut* —3H **13**
Emmer Grn. *Lut* —3F **17**
Empress Rd. *Lut* —1C **14**
Enderby Rd. *Lut* —5G **9**
Enfield Clo. *H Reg* —6F **7**
Englands Av. *Dunst* —2B **12**
Englands La. *Dunst* —5E **12**
Englefield. *Lut* —2A **16**
Ennerdale Av. *Dunst* —6D **12**
Ennismore Grn. *Lut* —4F **17**
Enslow Clo. *Cad* —3C **22**
Enterprise Way. *L Buz* —7F **27**
Enterprise Way. *Lut* —4F **9**
Epping Way. *Lut* —3A **8**
Epsom Clo. *L Buz* —6C **26**
Ereswell Rd. *Lut* —5E **8**
Eriboll Clo. *L Buz* —6A **26**
Erin Clo. *Lut* —3E **14**
Erin Ct. *Lut* —3E **14**
Ermine Pl. *Lut* —1B **29**
Escarpment Av. *Dunst* —6A **20**
Eskdale. *Lut* —7A **8**
Esmond Way. *L Buz* —7J **27**
Essex Clo. *Lut* —7K **15** (7D **29**)
Essex Ct. *Lut* —7J **15** (7D **29**)
Evans Clo. *H Reg* —1G **13**
Evedon Clo. *Lut* —6D **8**
Evelyn Rd. *Dunst* —3H **13**
Evergreen Way. *Lut* —4E **8**
Exton Av. *Lut* —4A **16**
Eyncourt Rd. *Dunst* —3E **12**
Eynesford Rd. *Leag* —2B **14**

Fairfax Av. *Lut* —5B **8**
Fairfield Clo. *Dunst* —4H **13**
Fairfield Rd. *Dunst* —4G **13**
Fairford Av. *Lut* —7J **9**
Fairgreen Rd. *Cad* —3D **22**
*Fair Oak Ct. Lut —2K **15***
(off Fair Oak Dri.)
Fair Oak Dri. *Lut* —2K **15**
Falcon Clo. *Dunst* —4C **12**
Falconers Rd. *Lut* —4B **16**
Faldo Rd. *Bar C* —1A **28**
(in two parts)
Fallowfield. *L Buz* —5H **27**
Fallowfield. *Lut* —1F **15**
Falstone Grn. *Lut* —4E **16**
Fancott. —7E 4
Faraday Clo. *Lut* —4A **14**
Fareham Way. *H Reg* —7G **7**
Faringdon Rd. *Lut* —2A **14**
Farley Ct. *Lut* —1G **23**
Farley Farm Rd. *Lut* —1F **23**
Farley Hill. —7F 15
Farley Hill. *Lut* —2F **23** (7A **29**)
FARLEY HILL DAY HOSPITAL. —7F **15**
Farley Lodge. *Lut* —7H **15** (7B **29**)
Farmbrook. *Lut* —5H **9**
Farm Clo. *H Reg* —7E **6**
Farm Grn. *Lut* —1G **23**
Farm Rd. *Lut* —6A **24**
Farrow Clo. *Lut* —3G **9**
Farr's La. *E Hyde* —7F **25**
Faulkner's Way. *L Buz* —5E **26**
Felbrigg Clo. *Lut* —3F **17**
Felix Av. *Lut* —3A **16**
Felmersham Ct. *Lut* —6F **15**
Felmersham Rd. *Lut* —6E **14**
Felstead Clo. *Lut* —2J **15**
Felstead Way. *Lut* —2K **15**
Felton Clo. *Lut* —4D **16**
Fensome Dri. *H Reg* —7G **7**
Fenwick Clo. *Lut* —7F **9**
Fenwick Rd. *H Reg* —7G **7**
Fermor Cres. *Lut* —4C **16**
Ferndale Rd. *Lut* —6F **15**
Fernheath. *Lut* —3E **8**
Ferrars Clo. *Lut* —4K **13**

Field End Clo. *Lut* —1C **16**
Field Fare Grn. *Lut* —7J **7**
Fieldgate Rd. *Lut* —2B **14**
*Filliano Ct. Lut —4H **15** (1B **29**)*
(off Cromwell Hill)
Filmer Rd. *Lut* —1C **14**
Finch Clo. *Lut* —1J **13**
Finch Cres. *L Buz* —7D **26**
Finsbury Rd. *Lut* —7B **8**
Finway. *Lut* —5D **14**
Firbank Clo. *Lut* —3A **8**
Firbank Ct. *L Buz* —7F **27**
Firbank Ind. Est. *Lut* —5E **14**
Firbank Way. *L Buz* —7F **27**
Firs Path. *Lut* —3F **27**
First Av. *Dunst* —6D **12**
Fisher Clo. *Bar C* —2B **28**
Fitzroy Av. *Lut* —2F **15**
Fitzwarin Clo. *Lut* —5C **8**
Five Oaks. *Cad* —2D **22**
Five Springs. *Lut* —6C **8**
Five Springs Ct. *Lut* —6C **8**
Flint Clo. *Lut* —5C **8**
(in three parts)
Flint Ct. *Dunst* —4C **12**
*Flint Ct. Lut —1H **23***
(off Farley Hill)
Flints, The. —2G 11
Florence Av. *Lut* —5B **8**
Flowers Ind. Est. *Lut* —7J **15** (6D **29**)
Flowers Way. *Lut* —6J **15** (5C **29**)
Folly La. *Cad* —2C **22**
Forge Clo. *Chal* —2G **7**
Forrest Cres. *Lut* —2A **16**
Foster Av. *H Reg* —2E **12**
Foster Rd. *Harl* —1H **5**
Foston Clo. *Lut* —6D **8**
Fountains Rd. *Lut* —2G **15**
Fourth Av. *Lut* —5A **8**
Foxbury Clo. *Lut* —6H **9**
Fox Dells. *Dunst* —1E **20**
Foxhill. *Lut* —7J **9**
Frances Ashton Ho. *Dunst* —5D **12**
(off Bullpond La.)
Francis Clo. *L Buz* —5D **26**
Francis St. *Lut* —5G **15** (2A **29**)
Frank Hamel Ct. *Bar C* —3C **28**
Frank Lester Way. *Lut* —5D **14**
Franklin Av. *Bar C* —2B **28**
Franklin Rd. *Dunst* —5B **12**
Frederick St. *Lut* —5J **15** (2C **29**)
Frederick St. Pas. *Lut* —4J **15** (2B **29**)
Freeman Av. *Lut* —4F **9**
Freemans Clo. *H Reg* —1C **12**
Frenchmans Clo. *Tod* —6A **4**
French's Av. *Dunst* —3A **12**
(in two parts)
Freshwater Clo. *Lut* —5D **8**
Friars Clo. *Lut* —1F **23**
Friars Ct. *Lut* —1F **23**
Friars Wlk. *Dunst* —6D **12**
Friars Way. *Lut* —1F **23**
Friary Fld. *Dunst* —5D **12**
Friday St. *L Buz* —5E **26**
Friesian Clo. *Lut* —2J **13**
Friston Grn. *Lut* —4D **16**
Frome Clo. *Lut* —1C **14**
Front St. *S End* —5G **23**
Fulbourne Clo. *Lut* —3C **14**
Furlong La. *Tot* —3J **19**
Furness Av. *Dunst* —6E **12**
Furrows, The. *Lut* —5F **9**
Furze Clo. *Lut* —5H **9**
Furzen Clo. *Dunst* —1E **20**
Fyne Dri. *L Buz* —4B **26**

Gables, The. *L Buz* —6D **26**
*Gable Way. H Reg —6F **7***
(off Sycamore Rd.)
Gadsby Ct. *Lut* —6B **29**
Gainsborough Ct. *Lut* —3K **15**
Gainsborough Dri. *H Reg* —7F **7**
Gaitskill Ter. *Lut* —5K **15** (3E **29**)
Gale Ct. *Bar C* —3C **28**
Gallery, The. *Lut* —4D **29**
Galliard Clo. *Lut* —1F **15**

Galston Rd. *Lut* —4B **8**
*Garden Ct. Lut —1E **14***
(off Gardenia Av.)
Garden Hedge. *L Buz* —4F **27**
Gardenia Av. *Lut* —1D **14**
Gardenia Av. Pas. *Lut* —1E **14**
Garden Leys. *L Buz* —6H **27**
Garden Rd. *Dunst* —6G **12**
Gardens End. *H Reg* —7E **6**
Gardner Ct. *Lut* —2J **23**
Gardners Clo. *Dunst* —6A **12**
Garfield Ct. *Lut* —2D **16**
Garland Way. *Lut* —7H **27**
Garrett Clo. *Dunst* —1F **21**
Garretts Mead. *Lut* —7B **8**
Gatehill Gdns. *Lut* —3F **9**
Gayland Av. *Lut* —5B **16**
Gayton Clo. *Lut* —1F **15**
Gelding Clo. *Lut* —7H **7**
Gemini Clo. *L Buz* —4J **27**
George St. *Dunst* —4D **12**
George St. *L Buz* —5G **27**
George St. *Lut* —6J **15** (4C **29**)
George St. W. *Lut* —6J **15** (5C **29**)
Gibson Dri. *L Buz* —7H **27**
Gilded Acre. *Dunst* —1E **20**
Gilder Clo. *Lut* —4E **8**
Gilderdale. *Lut* —6K **7**
Gillam St. *Lut* —5J **15** (3D **29**)
*Gillan Way. H Reg —6G **7***
(off Houghton Pk. Rd.)
Gilpin Clo. *H Reg* —7F **7**
Gilpin St. *Dunst* —3C **12**
Gipsy La. *Lut* —7A **16**
Gladstone Av. *Lut* —6G **15**
Glaisdale. *Lut* —7A **8**
Glebe Gdns. *Harl* —1H **5**
Glemsford Clo. *Lut* —6K **7**
Gleneagles Dri. *Lut* —6J **9**
Glenfield Rd. *Lut* —6G **9**
Glenn Cft. *Lut* —4H **15** (1B **29**)
Glen, The. *Cad* —3C **22**
Globe La. *L Buz* —3D **26**
Gloucester Rd. *Lut* —7K **15** (5E **29**)
Godfreys Clo. *Lut* —7F **15**
Godfreys Ct. *Lut* —7F **15**
Goldcrest Clo. *Lut* —7J **7**
Golden Riddy. *L Buz* —4D **26**
Goldstone Cres. *Dunst* —3F **13**
Good Intent. *Edl* —6E **18**
Gooseberry Hill. *Lut* —6F **9**
Gordon St. *Lut* —6H **15** (4B **29**)
Gorham Way. *Dunst* —3H **13**
Goshawk Clo. *Lut* —1J **13**
Gosling Av. *Offl* —2J **11**
Goswell End. —1H 5
Goswell End Rd. *Harl* —1H **5**
Graham Gdns. *Lut* —1G **15**
Graham Rd. *Dunst* —6G **13**
Grampian Way. *Lut* —4A **8**
Granby Rd. *Lut* —2B **14**
Grange Av. *Lut* —1B **14**
Grange Clo. *L Buz* —6C **26**
Grange Gdns. *Tod* —5B **4**
Grange Rd. *Bar C* —2B **28**
Grange Rd. *Tod* —5B **4**
Grange, The. *Tod* —6A **4**
Grange Wlk. *Tod* —5B **4**
Grange Way. *H Reg* —6G **7**
Gransden Clo. *Lut* —5E **8**
Grantham Rd. *Lut* —4E **14**
Granville Rd. *Lut* —5F **15**
Graphic Clo. *Dunst* —7F **13**
Grasmere Av. *Lut* —5F **9**
Grasmere Clo. *Dunst* —6D **12**
Grasmere Rd. *Lut* —5F **9**
*Grasmere Wlk. H Reg —6E **6***
(off Sycamore Rd.)
Grasmere Way. *L Buz* —5C **26**
Grays Clo. *Bar C* —2C **28**
Great Cutts. —7H 25
Gt. Northern Rd. *Dunst* —6E **12**
Great Offley. —1J 11
Greaves Way. *L Buz* —6J **27**
Greaves Way Ind. Est. *L Buz* —6J **27**
Green Acres. *Lil* —2D **10**
Greenacres Cvn. Site. *Kens* —6H **21**

Green Bushes. *Lut* —6B **8**
Green Clo. *Lut* —7A **8**
Green Ct. *Lut* —7K **7**
Greenfield Clo. *Dunst* —4A **12**
Greengate. *Lut* —4A **8**
Greenhill. *L Buz* —3F **27**
Greenhill Av. *Lut* —2H **15**
Greenlands. *L Buz* —4H **27**
Green La. *Dunst* —1J **19**
Green La. *Eat B* —3D **18**
Green La. *Kens* —6G **21**
Green La. *Lut* —1B **16**
Green Oaks. *Lut* —2K **15**
Greenriggs. *Lut* —3F **17**
Greenside Pk. *Lut* —2J **15**
Green, The. *Cad* —2C **22**
Green, The. *Edl* —6F **19**
Green, The. *H Reg* —1E **12**
Green, The. *Lut* —7A **8**
Green, The. *P Grn* —3J **25**
Greenways. *Eat B* —3D **18**
Greenways. *Lut* —7B **10**
Gregories Clo. *Lut* —4H **15** (1B **29**)
Gresham Clo. *Lut* —5D **16**
Griffin Golf Course. —6A **14**
Grosvenor Rd. *Lut* —7F **9**
Grovebury Clo. *Dunst* —7F **13**
Grovebury Pl. Est. *L Buz* —7F **27**
Grovebury Rd. *L Buz* —7E **26**
(in two parts)
Grovebury Rd. Ind. Est. *L Buz* —7F **27**
(Chartmoor Rd.)
Grovebury Rd. Ind. Est. *L Buz* —6F **27**
(Grovebury Rd.)
Grove Cvn. Site. *Wood* —3F **23**
Grove End. *Lut* —1F **23**
Grove Pk. Rd. *Wood* —3F **23**
Grove Pl. *Kens* —5G **21**
Grove Pl. *L Buz* —6F **27**
Grove Rd. *Dunst* —6F **13**
Grove Rd. *H Reg* —5E **6**
Grove Rd. *L Buz* —6F **27**
Grove Rd. *Lut* —6H **15** (4A **29**)
Grove Rd. *S End* —4F **23**
Grove, The. *Lut* —1F **23**
Guardian Ind. Est. *Lut* —5G **15**
Guernsey Clo. *Lut* —2H **13**
Guildford St. *Lut* —5J **15** (3C **29**)
Gurney Ct. *Eat B* —4F **19**

Haddon Rd. *Lut* —5K **15**
Hadley Ct. *Lut* —1A **29**
Hadlow Down Clo. *Lut* —7E **8**
Hadrian Av. *Dunst* —3G **13**
Hagdell Rd. *Lut* —1G **23**
Half Moon La. *Dunst* —6F **13**
Half Moon La. *Mark & Pep* —7D **22**
Half Moon La. *Pep* —6G **23**
Half Moon Pl. *Dunst* —6F **13**
Halfway Av. *Lut* —4B **14**
Halley's Way. *H Reg* —1F **13**
Hallwicks Rd. *Lut* —2B **16**
Halyard Clo. *Lut* —6F **9**
Hambling Pl. *Dunst* —5B **12**
Hambro Clo. *E Hyde* —7F **25**
Hamer Ct. *Lut* —4H **9**
Hamilton Ct. *L Buz* —5F **27**
(off Lammas Wlk.)
Hammersmith Clo. *H Reg* —7E **6**
Hammersmith Gdns. *H Reg* —6E **6**
Hammond Ct. *S End* —5G **23**
Hampshire Way. *Lut* —3B **8**
Hampton Rd. *Lut* —4F **15**
Hancock Dri. *Lut* —6J **9**
Handcross Rd. *Lut* —2D **16**
Hanover Ct. *L Buz* —5C **26**
Hanover Ct. *Lut* —7B **8**
Hanover Pl. *Bar C* —1C **28**
Hanswick Clo. *Lut* —3B **16**
Hanworth Clo. *Lut* —5H **9**
Harbury Dell. *Lut* —5F **9**
Harcourt Clo. *L Buz* —5D **26**
Harcourt St. *Lut* —1J **23** (7C **29**)
Harding Clo. *Lut* —5C **8**
Hardwick Grn. *Lut* —5E **8**
Harefield Rd. *Lut* —5D **14**

Harlestone Clo. *Lut* —3E **8**
Harling Rd. *Eat B* —6G **19**
Harlington. —1H 5
Harlington Rd. *Harl* —1J **5**
Harlington Rd. *S'dn* —5K **5**
Harlington Rd. *Tod* —4C **4**
Harmill Ind. Est. *L Buz* —7F **27**
(Chartmoor Rd.)
Harmill Ind. Est. *L Buz* —7F **27**
(Grovebury Rd.)
Harmony Row. *L Buz* —7K **27**
Harold Rd. *Bar C* —2C **28**
Harrington Heights. *H Reg* —7C **6**
Harris Ct. *Bar C* —1B **28**
Harris La. *Lut* —1A **16**
Harris La. *Offl* —2K **11**
Harrowden Ct. *Lut* —5B **16**
Harrowden Rd. *Lut* —5B **16**
Harrow Rd. *L Buz* —6G **27**
Harry Scott Ct. *Lut* —6A **8**
Hart Hill. —5K 15
Hart Hill Dri. *Lut* —5K **15** (3E **29**)
Hart Hill La. *Lut* —5K **15** (2E **29**)
Hart Hill Path. *Lut* —5K **15** (3E **29**)
Hart La. *Lut* —4A **16**
Hartley Rd. *Lut* —5K **15** (3E **29**)
Hartop Ct. *Lut* —5D **16**
Hartsfield Rd. *Lut* —3A **16**
Hart Wlk. *Lut* —4A **16**
Hartwell Cres. *L Buz* —5F **27**
Hartwell Gro. *L Buz* —5F **27**
Hartwood. Lut —5K **15**
(off Hart Hill Dri.)
Harvest Clo. *Lut* —2J **13**
Harvester Ct. *L Buz* —5J **27**
Harvey Rd. *Dunst* —3K **19**
Harvey's Hill. *Lut* —7K **9**
Hasketon Dri. *Lut* —6K **7**
Hastings Rd. *Bar C* —2C **28**
Hastings St. *Lut* —7H **15** (6B **29**)
Hathaway Clo. *Lut* —3K **13**
Hatters Way. *Lut* —4K **13**
Havelock Ri. *Lut* —4J **15**
Havelock Rd. *Lut* —4J **15** (1C **29**)
Haverdale. *Lut* —1A **14**
Hawkfields. *Lut* —6J **9**
Hawthorn Av. *Lut* —1B **16**
Hawthorn Clo. *Dunst* —6E **12**
Hawthorn Cres. *Cad* —3C **22**
Hawthorne Clo. *L Buz* —4D **26**
Haycroft. *Lut* —6J **9**
Hayes Clo. *Lut* —7B **10**
Hayhurst Rd. *Lut* —3K **13**
Hayley Ct. *H Reg* —6E **6**
Hayling Dri. *Lut* —2D **16**
Haymarket Rd. *Lut* —1G **13**
Hayton Clo. *Lut* —2F **9**
Hazelbury Ct. *Lut* —5G **15**
(off Hazelbury Cres.)
Hazelbury Cres. *Lut* —5G **15**
Hazelwood Clo. *Lut* —1B **16**
Heacham Clo. *Lut* —1K **13**
Heath Clo. *Lut* —7F **15**
Heath Ct. *L Buz* —1D **26**
Heather Mead. *Eat B* —5E **18**
Heathfield Clo. *Cad* —2D **22**
Heathfield Path. *Lut* —2D **22**
Heathfield Rd. *Lut* —1G **15**
Heath Pk. Dri. *L Buz* —2F **27**
Heath Pk. Rd. *L Buz* —1F **27**
Heath Rd. *B Grn* —4K **17**
Heath Rd. *L Buz* —4F **27**
Heath, The. —3K 17
Heath, The. *B Grn* —3K **17**
Heath, The. *L Buz* —1D **26**
Heathwood Clo. *L Buz* —1F **27**
Heaton Dell. *Lut* —4E **16**
Hebden Clo. *Lut* —1K **13**
Hedgerow, The. *Lut* —7B **8**
Hedley Ri. *Lut* —3E **16**
Heights, The. Lut —7C **8**
(off Marsh Rd.)
Helmsley Clo. *Lut* —7A **8**
Hemingford Dri. *Lut* —6H **9**
Henge Way. *Lut* —5B **8**
Henley Clo. *H Reg* —7G **7**
Henstead Pl. *Lut* —4D **16**

Hercules Clo. *L Buz* —4H **27**
Hereford Rd. *Lut* —2J **13**
Herne Clo. *Tod* —4A **4**
Heron Dri. *Lut* —6J **9**
Heron Trad. Est., The. *Lut* —5A **8**
Heswall Ct. *Lut* —7E **29**
Hewlett Rd. *Lut* —7C **8**
Hexton Rd. *Bar C* —3C **28**
Hexton Rd. *Lil* —1B **10**
Heywood Dri. *Lut* —3K **15**
Hibbert St. *Lut* —7J **15** (7C **29**)
Hibbert St. Almshouses. *Lut* —7C **29**
Hibbert St. Pas. *Lut* —7C **29**
Hickling Clo. *Lut* —4D **16**
Hickman Ct. *Lut* —4B **8**
Higham Dri. *Lut* —4D **16**
Higham Gobion Rd. *Bar C & H Gob* —1C **28**
High Beech Rd. *Lut* —5B **8**
Highbury Rd. *Lut* —4G **15**
Highcroft. *L Buz* —6H **27**
Highfield Rd. *L Buz* —5H **27**
Highfield Rd. *Lut* —4F **15**
Highfields Clo. *Dunst* —3J **13**
High Mead. *Lut* —2E **14**
Highover Clo. *Lut* —4B **16**
High Point. *Lut* —7H **15** (7B **29**)
(off Ruthin Clo.)
High Ridge. *Lut* —4C **16**
High St. *Eat B* —4D **18**
High St. *Edl* —7E **18**
High St. *H Reg* —1D **12**
High St. *L Buz* —5E **26**
High St. *Lut* —2A **14**
High St. *Offl* —1J **11**
High St. *Tod* —6B **4**
High St. N. *Dunst* —3B **12**
High St. S. *Dunst* —5D **12**
High Town. —4J 15
High Town Enterprise Cen. *Lut* —2E **29**
Hightown Recreation Cen. —5J **15** (2C **29**)
High Town Rd. *Lut* —5J **15** (3D **29**)
High Wood Clo. *Lut* —6D **14**
Hillary Clo. *Lut* —5B **8**
Hillary Cres. *Lut* —7G **15**
Hillborough Cres. *H Reg* —5E **6**
Hillborough Rd. *Lut* —7H **15** (7A **29**)
Hill Clo. *Lut* —5G **9**
Hill Clo. *W'fld* —3A **6**
Hillcrest Av. *Lut* —4G **9**
Hillcrest Cvn. Site. *Wood* —4D **22**
Hillcroft. *Dunst* —4A **12**
Hillcroft Clo. *Lut* —6A **8**
Hill Ri. *Lut* —5A **8**
Hill Side. *H Reg* —7D **6**
Hillside Rd. *Dunst* —6F **13**
Hillside Rd. *L Buz* —2F **27**
Hillside Rd. *Lut* —4H **15** (1A **29**)
Hills Vw. *S'dn* —7K **5**
Hilltop Cotts. *Offl* —1J **11**
Hilltop Ct. *Lut* —6G **15**
Hillview Cres. *Lut* —5G **9**
Hillyfields. *Dunst* —7E **12**
Hilton Av. *Dunst* —7D **12**
Himley Grn. *L Buz* —6B **26**
Hinton Clo. *L Buz* —5J **27**
Hinton Wlk. *H Reg* —6G **7**
Hitchin Rd. *Lut* —2A **16**
Hockliffe Rd. *L Buz* —5G **27**
Hockliffe St. *L Buz* —5F **27**
Hockwell Ring. *Lut* —7K **7**
Holford Clo. *Lut* —1H **23**
Holford Way. *Lut* —3F **9**
Holgate Dri. *Lut* —2K **13**
Holkham Clo. *Lut* —1J **13**
Holland Rd. *Lut* —3F **15**
Hollick's La. *Kens* —5F **21**
Holliwick Rd. *Dunst* —3G **13**
Hollybush Hill. *Lut* —3F **11**
Hollybush Rd. *Lut* —4C **16**
Holly Farm Clo. *Cad* —3C **22**
Holly St. *Lut* —7J **15** (6C **29**)
Holly St. Trad. Est. *Lut* —7J **15** (6C **29**)
Hollywell Clo. *Stud* —7E **20**
Holmbrook Av. *Lut* —7G **9**
Holmfield Clo. *Tod* —6A **4**
Holmscroft Rd. *Lut* —6D **8**
Holmwood Clo. *Dunst* —3F **13**

Leighton Buzzard Narrow Gauge Railway—Meadway

Leighton Buzzard Narrow Gauge Railway.
—3H 27
Leighton Ct. *Dunst* —5C **12**
Leighton Rd. *Dunst* —4A **18**
(Soulbury Rd.)
Leighton Rd. *L Buz* —3A **26**
(Toddington Rd.)
Leighton Rd. *L Buz & Tod* —6A **4**
Lennon Ct. *Lut* —6H **15**
Lennox Grn. *Lut* —3F **17**
Leopold Ct. *L Buz* —5C **26**
Lesbury Clo. *Lut* —4E **16**
Leston Clo. *Dunst* —1F **21**
Letchworth Rd. *Lut* —1E **14**
Leven Clo. *L Buz* —5A **26**
Levendale. *Lut* —7A **8**
Lewsey Farm. —1H 13
Lewsey Pk. Ct. *Lut* —1J **13**
Lewsey Pk. Pool. —2J 13
Lewsey Rd. *Lut* —2K **13**
Leyburne Rd. *Lut* —6F **9**
Leygreen Clo. *Lut* —5A **16**
Leyhill Dri. *Lut* —2F **23**
Library Rd. *Lut* —6J **15** (4C **29**)
Liddel Clo. *Lut* —2E **14**
Liddell Way. *L Buz* —7J **27**
Lidgate Clo. *Lut* —6K **7**
Life Clo. *Lut* —1H **13**
Lighthorne Ri. *Lut* —4E **8**
Lilac Gro. *Lut* —3A **8**
Lilley. —3D 10
Lilley Bottom. *Lil & K Wal* —3E **10**
Lilleyhoo La. *Lil* —2F **11**
Lilley Pk. —3C 10
Limbury. —1D 14
Limbury Mead. *Lut* —6D **8**
Limbury Rd. *Lut* —1D **14**
Lime Av. *Lut* —2K **13**
Lime Clo. *Bar C* —2C **28**
Lime Gro. *L Buz* —4D **26**
Limetree Av. *Lut* —7A **24**
Lime Tree Clo. *Lut* —3A **8**
Lime Wlk. *Dunst* —5F **13**
Linacres. *Lut* —1B **14**
Linbridge Way. *Lut* —3E **16**
Lincoln Clo. *Dunst* —7G **13**
Lincoln Rd. *Lut* —4F **15**
Lincoln Way. *Harl* —1H **5**
Lincombe Slade. *L Buz* —4D **26**
Linden Clo. *Dunst* —4H **13**
Linden Ct. Lut —5K 15
(off Crescent Rd.)
Linden Rd. *Dunst* —3H **13**
Linden Rd. *Lut* —1B **14**
(in two parts)
Lindens, The. *H Reg* —1D **12**
Lindsey Rd. *Lut* —4D **16**
Links Way. *Lut* —4H **9**
Link, The. *H Reg* —7D **6**
Linley Dell. *Lut* —3D **16**
Linmere Wlk. *H Reg* —6G **7**
Linnet Clo. *Lut* —1J **13**
Linslade. —5B 26
Linwood Gro. *L Buz* —6G **27**
Lippitts Hill. *Lut* —7J **9**
Liscombe Rd. *Dunst* —4G **13**
Liston Clo. *Lut* —7K **7**
Little Berries. *Lut* —5C **8**
Lit. Church Rd. *Lut* —2B **16**
Little Cutts. —6J 25
Littlefield Rd. *Lut* —2B **16**
Littlegreen La. *Cad* —4C **22**
Lit. Meadow Cvn. Pk. *Wood* —3E **22**
Lit. Wood Cft. *Lut* —5C **8**
Liverpool Rd. *Lut* —6H **15** (4A **29**)
Locarno Av. *Lut* —6A **8**
Lochy Dri. *L Buz* —5B **26**
Lockhart Clo. *Dunst* —7G **13**
Lockington Cres. *Dunst* —3G **13**
Loftus Clo. *Lut* —2K **13**
Lollard Clo. *Lut* —2G **13**
Lomond Dri. *L Buz* —5A **26**
London Luton Airport. —6E 16
London Rd. *Dunst* —6F **13**
(in two parts)
London Rd. *Lut & Hpdn* —1H **23** (7B **29**)
Longbrooke. *H Reg* —1F **13**

Long Clo. *Lut* —2C **16**
Longcroft Dri. *Bar C* —3B **28**
Long Cft. Rd. *Lut* —6E **14**
Longfield Dri. *Lut* —4B **14**
Long Hedge. *Dunst* —5F **13**
Long La. *Tod* —4B **4**
Long Mead. *H Reg* —6D **6**
Long Mdw. *Dunst* —5C **12**
Longmeadow. *H Reg* —7G **7**
Lonsdale Clo. *Lut* —7E **8**
Lords Mead. *Eat B* —4E **18**
Lords Ter. E Hyde —7F 25
(off Southern Ri.)
Lorimer Clo. *Lut* —6J **9**
Loring Rd. *Dunst* —4B **12**
Lothair Rd. *Lut* —1A **16**
Lovent Dri. *L Buz* —5G **27**
Lovers Wlk. *Dunst* —5E **12**
Lovett Way. *Wood E* —2F **13**
Lower End. —2F 19
Lwr. Harpenden Rd. *Lut* —1B **24**
Lower Sundon. —1A 8
Lowry Dri. *H Reg* —7F **7**
Lowther Rd. *Dunst* —7E **12**
Loyne Clo. *L Buz* —4B **26**
Lucas Gdns. *Lut* —4F **9**
Lucerne Way. *Lut* —1G **15**
Ludlow Av. *Lut* —2J **23**
Ludun Clo. *Dunst* —5G **13**
Lullington Clo. *Lut* —2C **16**
Luton. —6J 15
Luton Airport. —6E 16
LUTON & DUNSTABLE HOSPITAL.
—3A 14
Luton Dri., The. *Lut* —2B **24**
Luton Hoo. —4B 24
Luton Hoo Estate. —6A 24
Luton Hoo Pk. —4A 24
Luton Mus. & Art Gallery. —3H 15
Luton Regional Sports Cen. —7K 9
Luton Rd. *Cad* —2C **22**
Luton Rd. *C'hoe* —2E **16**
Luton Rd. *Dunst* —4F **13**
Luton Rd. *Lut* —7A **28**
Luton Rd. *Mark* —7C **22**
Luton Rd. *Offl* —2G **11**
Luton Rd. *Tod & Chal* —5C **4**
Luton Town F.C. —5G 15
Luton White Hill. *Lut & Offl* —4G **11**
Luxembourg Clo. *Lut* —4B **8**
Lychgate. *S'dn* —7K **5**
Lye Hill. *Lut & B Grn* —6K **17**
Lygetun Dri. *Lut* —6C **8**
Lynch Hill. *Kens* —6J **21**
Lynch, The. *Kens* —4H **21**
Lyndhurst Rd. *Lut* —6G **15**
Lyneham Rd. *Lut* —4C **16**
Lynwood Av. *Lut* —2K **15**
Lynwood Lodge. *Dunst* —4C **12**
Lyra Gdns. *L Buz* —4J **27**
Lywood Rd. *L Buz* —6H **27**

Macaulay Rd. *Lut* —3J **13**
Magpies, The. *Lut* —6J **9**
Maidenbower Av. *Dunst* —4B **12**
Maidenhall Rd. *Lut* —3E **14**
Malham Clo. *Lut* —2D **14**
Mallard Gdns. *Lut* —7E **8**
Mallow, The. *Lut* —2D **14**
Mall, The. *Dunst* —4E **12**
Malms Clo. *Kens* —5F **21**
Malthouse Grn. *Lut* —4F **17**
Maltings, The. *Dunst* —4C **12**
Maltings, The. *L Buz* —6G **27**
Malvern Dri. *L Buz* —4B **26**
Malvern Rd. *Lut* —6F **15**
Malzeard Ct. *Lut* —1A **29**
Malzeard Rd. *Lut* —4G **15** (1A **29**)
Manchester Pl. *Dunst* —4D **12**
Manchester St. *Lut* —6J **15** (4B **29**)
Mancroft Rd. *Cad* —3B **22**
Mander Clo. *Dunst* —5B **4**
Mangrove Green. —1E 16
Mangrove Rd. *C'hoe* —1E **16**
Mangrove Rd. *Lut* —2C **16**
Manning Ct. *H Reg* —7E **6**

Manning Pl. *Lut* —3E **16**
Mannock Way. *L Buz* —7J **27**
Manor Clo. *Harl* —1H **5**
Manor Clo. *H Reg* —1D **12**
Manor Ct. *Cad* —2D **22**
Manor Ct. *L Buz* —2C **26**
Mnr. Farm Clo. *Bar C* —2C **28**
Mnr. Farm Clo. *Lut* —2A **14**
Manor Pk. *H Reg* —1D **12**
Manor Rd. *Bar C* —2C **28**
Manor Rd. *Cad* —2D **22**
Manor Rd. *L Sun* —1K **7**
Manor Rd. *Lut* —7K **15** (6E **29**)
Manor Rd. *Tod* —4B **4**
Mansfield Rd. *Lut* —4F **15**
Manshead Ct. *Dunst* —7F **13**
Manton Dri. *Lut* —1H **15**
Manton Rd. *Eat B* —5K **19**
Manx Clo. *Lut* —3E **14**
Maple Ct. *Lut* —7B **29**
Maple Rd. E. *Lut* —5F **15**
Maple Rd. W. *Lut* —5F **15**
Maple Way. *H Reg* —6G **7**
Maple Way. *Kens* —6G **21**
Marbury Pl. *Lut* —7D **8**
Mardale Av. *Dunst* —7E **12**
Mardle Clo. *Cad* —4C **22**
Mardle Rd. *L Buz* —6D **26**
Maree Clo. *L Buz* —5B **26**
Marina Dri. *Dunst* —6A **12**
Market Ct. L Buz —5F 27
(off Hockcliffe St.)
Market Hall. *Lut* —6J **15** (4D **29**)
Market Pl. *Eat B* —4D **18**
Market Sq. *L Buz* —5F **27**
Market Sq. *Lut* —7F **15**
Market Sq. *Tod* —5B **4**
Markfield Clo. *Lut* —6G **9**
Markham Cres. *Dunst* —3G **13**
Markham Rd. *Lut* —4G **9**
Markyatecell Pk. —7C 22
Markyate Rd. *S End* —6E **22**
Marlborough Footpath. *Lut* —4H **15**
Marlborough Pl. *Tod* —5B **4**
Marlborough Rd. *Lut* —4G **15**
Marley Fields. *L Buz* —6J **27**
Marlin Ct. *Lut* —1G **13**
Marlin Rd. *Lut* —1G **13**
Marlow Av. *Lut* —5E **14**
Marquis Ct. *Lut* —1B **29**
Marriott Rd. *Lut* —6F **9**
Marshall Rd. *Lut* —3C **16**
Marsh Farm. —5C 8
Marsh Ho. *Lut* —1D **14**
Marsh Rd. *Lut* —7C **8**
Marsom Gro. *Lut* —4F **9**
Marston Gdns. *Lut* —1H **15**
Martindales, The. *Lut* —4E **29**
Martins Dri., The. *L Buz* —4E **26**
Mary Brash Ct. *Lut* —2C **16**
Maryport Rd. *Lut* —3E **14**
Masters Clo. *Lut* —1F **23**
Matlock Cres. *Lut* —4A **14**
Matthew St. *Dunst* —5D **12**
Maulden Clo. *Lut* —4C **16**
Maundsey Clo. *Dunst* —1E **20**
May Clo. *Eat B* —4E **18**
Mayer Way. *H Reg* —2D **12**
Mayfield Rd. *Dunst* —7F **13**
(in two parts)
Mayfield Rd. *Lut* —1B **16**
Mayne Av. *Lut* —7A **8**
May St. *Lut* —1J **23** (7D **29**)
Meadhook Dri. *Bar C* —2B **28**
Meadow Cft. *Cad* —2D **22**
Meadow La. *H Reg* —7D **6**
Meadow Rd. *Lut* —1F **15**
Meadow Rd. *Tod* —6A **4**
Meadows, The. *B Grn* —4K **17**
Meadows, The. *W'fld* —3A **6**
Meadow Way. *Cad* —2C **22**
Meadow Way. *L Buz* —5J **27**
Meadow Way. *Offl* —1J **11**
Meads Clo. *H Reg* —7D **6**
Meads, The. *Eat B* —5E **18**
Meads, The. *Lut* —2E **14**
Meadway. *Dunst* —6B **12**

Meadway. *L Buz* —5H **27**
(Leedon)
Meadway. *L Buz* —3H **27**
(Leighton Buzzard)
Meadway Ct. *Dunst* —6B **12**
Medina Rd. *Lut* —4E **14**
Medley Clo. *Eat B* —5F **19**
Mees Clo. *Lut* —3D **8**
Melford Clo. *Lut* —4D **16**
Melfort Dri. *L Buz* —6A **26**
Melson Sq. *Lut* —4D **29**
Melson St. *Lut* —6J **15** (4D **29**)
Melton Ct. *Dunst* —6B **12**
Melton Wlk. *H Reg* —6G **7**
Memorial Ct. *Lut* —1D **14**
Memorial Rd. *Lut* —1D **14**
Mendip Way. *Lut* —3A **8**
Mentmore Cres. *Dunst* —1E **20**
Mentmore Gdns. *L Buz* —7D **26**
Mercury Way. *L Buz* —4J **27**
Merlins Ct. *L Buz* —5F **27**
(off Beaudesert)
Mersey Pl. *Lut* —6H **15** (4A **29**)
Meyrick Av. *Lut* —7G **15** (6A **29**)
Meyrick Ct. *Lut* —7G **15** (6A **29**)
Middle End. —2G 19
Middle Grn. *L Buz* —4H **27**
Middleton Rd. *Lut* —1D **16**
Midhurst Gdns. *Lut* —1G **15**
Midland Rd. *Lut* —5J **15** (3C **29**)
Milburn Clo. *Lut* —3F **9**
Milebush. *Lut* —4B **26**
Miles Av. *L Buz* —4G **27**
Miletree Ct. *L Buz* —4G **27**
Miletree Cres. *Dunst* —7F **13**
Mile Tree Rd. *H&R* —1J **27**
Millbank. *Lut* —4E **26**
Mill End Clo. *Eat B* —6F **19**
Millers Clo. *L Buz* —5J **27**
Millers Lay. *Dunst* —3H **13**
Millers Way. *H Reg* —1C **12**
Millfield La. *Cad & Mark* —3A **22**
Millfield M. *Cad* —4B **22**
Millfield Rd. *Lut* —2E **14**
Millfield Way. *Cad* —3B **22**
Milliners Way. *Lut* —4G **15**
Mill La. *Bar C* —2B **28**
Mill Rd. *H Reg* —1C **12**
Mill Rd. *L Buz* —4F **27**
Millstream Way. *L Buz* —5E **26**
Mill St. *Lut* —5H **15** (3B **29**)
Mill Tower. *Eat B* —4E **18**
Millway. *B Grn* —3K **17**
Milner Ct. *Lut* —5J **15** (2D **29**)
Milton Rd. *Lut* —7G **15** (6A **29**)
Milton Wlk. *H Reg* —1F **13**
Milton Way. *H Reg* —1F **13**
Milverton Grn. *Lut* —5E **8**
Minorca Way. *Lut* —2J **13**
Miss Joans Ride. *Kens* —7A **20**
Mistletoe Hill. *Lut* —5C **16**
Mixes Hill Ct. *Lut* —1K **15**
Mixes Hill Rd. *Lut* —2K **15**
Moakes, The. *Lut* —4C **8**
Moat La. *Lut* —1F **15**
Mobley Grn. *Lut* —2B **16**
Moira Clo. *Lut* —5B **8**
Monks Clo. *Dunst* —4G **13**
Monmouth Clo. *Tod* —5A **4**
Monmouth Rd. *Harl* —1H **5**
Montague Av. *Lut* —6A **8**
Montgomery Clo. *L Buz* —3G **27**
Monton Clo. *Lut* —6D **8**
Montrose Av. *Lut* —2F **15**
Montrose Path. *Lut* —2G **15**
Moore Cres. *H Reg* —1E **12**
Moor End. —5F 19
Moor End. *Eat B* —6F **19**
Moor End Clo. *Eat B* —6F **19**
Moor End La. *Eat B* —5F **19**
Moorland Gdns. *Lut* —5H **15** (2B **29**)
Moor Path. *Lut* —5H **15** (2A **29**)
Moor St. *Lut* —5G **15** (2A **29**)
Morar Clo. *L Buz* —5B **26**
Morcom Rd. *Dunst* —7G **13**
Moreton Rd. N. *Lut* —3A **16**
Moreton Rd. S. *Lut* —3A **16**

Morland Clo. *Dunst* —7C **12**
Morrell Clo. *Lut* —5E **8**
Morris Clo. *Lut* —4C **8**
(in two parts)
Mortimer Clo. *Lut* —6D **14**
Mossbank Av. *Lut* —5C **16**
Mossdale Ct. *Leag* —7A **8**
(off Teesdale)
Mossman Collection, The. —2H **23**
Mossman Dri. *Lut* —2C **22**
Mostyn Rd. *Lut* —1C **14**
Moulton Ri. *Lut* —5K **15** (3E **29**)
Mountbatten Gdns. *L Buz* —3G **27**
Mountfield Path. *Lut* —3J **15**
Mountfield Rd. *Lut* —3J **15**
Mountgrace Rd. *Lut* —6C **10**
Mt. Pleasant Av. *Tod* —7B **4**
Mt. Pleasant Clo. *Tod* —7B **4**
Mt. Pleasant Rd. *Lut* —7C **8**
Mount, The. *Lut* —5H **15** (2B **29**)
Mountview Av. *Dunst* —7F **13**
Mowbray Dri. *L Buz* —5C **26**
Moxes Wood. *Lut* —5C **8**
Muirfield. *Lut* —6J **9**
Mulberry Clo. *Lut* —6F **15**
Mullion Clo. *Lut* —7B **10**
Mussons Path. *Lut* —5J **15** (2C **29**)
Muswell Clo. *Lut* —6F **9**
Mutford Cft. *Lut* —4D **16**

Napier Rd. *Lut* —6H **15** (5A **29**)
Nappsbury Rd. *Lut* —7B **8**
Naseby Rd. *Lut* —6F **15**
Nash Clo. *H Reg* —7F **7**
Nayland Clo. *Lut* —4E **16**
Nebular Ct. *L Buz* —4H **27**
Needham Rd. *Lut* —6K **7**
Nelson Rd. *L Buz* —3G **27**
Neptune Clo. *H Reg* —6G **7**
(off Parkside Dri.)
Neptune Gdns. *L Buz* —4J **27**
Neptune Sq. *H Reg* —6G **7**
Nethercott Clo. *Lut* —4C **16**
Nettle Clo. *Lut* —2G **13**
Nettleton Rd. *L Buz* —7H **27**
Neville Rd. *Lut* —7E **8**
Neville Rd. Pas. *Lut* —7E **8**
Nevis Clo. *L Buz* —5B **26**
Newark Rd. *Lut* —3E **14**
Newark Rd. Path. *Lut* —3E **14**
New Bedford Rd. *Lut* —6G **9** (1A **29**)
(in two parts)
Newbold Rd. *Lut* —5F **9**
Newbury Clo. *Lut* —3C **14**
Newbury Rd. *H Reg* —6G **7**
Newcombe Rd. *Lut* —6G **15**
Newlands Rd. *Lut* —2F **23**
Newman Way. *L Buz* —5G **27**
New Mill End. —5E 24
Newnham Clo. *Lut* —4D **16**
New Rd. *L Buz* —5D **26**
New St. *Lut* —7H **15** (6B **29**)
New St. *S End* —5G **23**
Newtondale. *Lut* —7A **8**
Newton Way. *L Buz* —7J **27**
New Town. —7J 15
New Town Rd. *Lut* —7J **15** (7D **29**)
New Town St. *Lut* —7J **15** (7D **29**)
New Woodfield Grn. *Dunst* —7G **13**
Nicholas Way. *Dunst* —5D **12**
Nicholls Clo. *Bar C* —2C **28**
Nichols Clo. *Lut* —3C **16**
Nicholson Dri. *L Buz* —7J **27**
Nightingale Clo. *Lut* —6C **10**
Nightingale Ct. *Lut* —5G **15**
(off Waldeck Rd.)
Ninefield Ct. *Lut* —2A **14**
(off Lime Av.)
Ninfield Ct. *Lut* —2C **16**
(off Telscombe Way)
Ninth Av. *Lut* —5B **8**
Norcott Clo. *Dunst* —6F **13**
Norfolk Rd. *Dunst* —7G **13**
Norfolk Rd. *Lut* —6A **16**
Norman Rd. *Bar C* —1C **28**
Norman Rd. *Lut* —3F **15**

Norman Way. *Dunst* —5A **12**
Northall. —5A 18
Northall Clo. *Eat B* —4D **18**
Northall Rd. *Eat B* —5D **18**
Northcliffe. *Eat B* —4E **18**
Northcourt. *L Buz* —3F **27**
N. Drift Way. *Lut* —7F **15**
Northfields. *Dunst* —2C **12**
N. Luton Ind. Est. *Lut* —5K **7**
N. Star Dri. *L Buz* —4H **27**
N. Station Way. *Dunst* —4B **12**
North St. *L Buz* —5F **27**
North St. *Lut* —5J **15** (2C **29**)
(in three parts)
Northview Rd. *H Reg* —3C **12**
Northview Rd. *Lut* —3K **15**
Northwell Dri. *Lut* —3C **8**
Norton Ct. *Dunst* —5D **12**
(off High St. S.)
Norton Rd. *Lut* —1D **14**
Nunnery La. *Lut* —7F **9**
Nurseries, The. *Eat B* —4E **18**
Nursery Clo. *Dunst* —5C **12**
Nursery Pde. *Lut* —7C **8**
Nursery Rd. *Lut* —7D **8**
Nymans Clo. *Lut* —2D **16**

Oak Bank Dri. *L Buz* —1F **27**
Oak Clo. *Dunst* —5F **13**
Oak Clo. *Harl* —2H **5**
Oakley Clo. *Lut* —1B **14**
Oakley Ct. *Lut* —2B **14**
Oakley Grn. *L Buz* —3G **27**
Oakley Rd. *Lut* —1B **14**
Oakridge Pk. *L Buz* —7G **27**
Oak Rd. *Lut* —5F **15**
Oaks, The. *Lut* —1B **14**
Oaks, The. *S End* —5G **23**
Oakway. *Stud* —7D **20**
Oakwell Clo. *Dunst* —6B **12**
Oakwood Av. *Dunst* —7G **13**
Oakwood Dri. *Lut* —4A **8**
Oatfield Clo. *Lut* —1H **13**
Oatfield Gdns. *L Buz* —5J **27**
Oban Ter. *Lut* —5F **15**
Offley Hill. *Offl* —1J **11**
Old Bedford Rd. *Lut* —4H **15** (1B **29**)
Old Chapel M. *L Buz* —6F **27**
Old Dairy Ct. *Dunst* —3H **13**
Oldhill. *Dunst* —7F **13**
Oldhill Wood. —7G 21
Old Linslade. —2C 26
Old Linslade Rd. *H&R* —2C **26**
Old Orchard. *Lut* —1H **23**
Old Rd. *Bar C* —3C **28**
Old Rd. *L Buz* —5D **26**
Old School Ct. *Eat B* —4F **19**
Old School Gdns. *Bar C* —2C **28**
Old School Wlk. *S End* —5G **23**
Olma Rd. *Dunst* —3C **12**
Olympic Clo. *Lut* —3C **8**
(in three parts)
Omega Ct. *L Buz* —4H **27**
Onslow Rd. *Lut* —7B **8**
Orchard Clo. *Bar C* —4C **28**
Orchard Clo. *Dunst* —5B **4**
Orchard Clo. *H Reg* —2D **12**
Orchard Dri. *L Buz* —6C **26**
Orchard End. *Edl* —6E **18**
Orchards, The. *Eat B* —3E **18**
Orchards, The. *S End* —4G **23**
Orchard Way. *Eat B* —5F **19**
Orchard Way. *Lut* —1A **14**
Orchid Clo. *Dunst* —4A **12**
Oregon Way. *Lut* —4E **8**
Orion Way. *L Buz* —4J **27**
Ormsby Clo. *Lut* —1J **23**
Orpington Clo. *Lut* —2J **13**
Osborne Ct. *Lut* —1K **23** (7E **29**)
Osborne Rd. *Dunst* —6D **12**
Osborne Rd. *Lut* —7K **15**
Osborn Rd. *Bar C* —2C **28**
Osprey Wlk. *Lut* —7J **7**
Ouseley Way. *Kens* —6A **20**
Ousley Clo. *Leag* —2B **14**
Overfield Rd. *Lut* —4C **16**

Overstone Rd. *Lut* —4B **14**
Oving Clo. *Lut* —3D **16**
Oxendon Ct. *L Buz* —2E **26**
Oxen Ind. Est. *Lut* —4K **15** (1E **29**)
Oxen Rd. *Lut* —4K **15** (1E **29**)
Oxford Rd. *B Grn* —4K **17**
Oxford Rd. *Lut* —7J **15** (6C **29**)

Packhorse Pl. *Kens* —6A **22**
Paddock Clo. *Lut* —1H **13**
Paddocks, The. *L Buz* —5D **26**
Page's Ind. Est. *L Buz* —7G **27**
Pages Ind. Pk. *L Buz* —7F **27**
Page's Pk. Station. —7G **27**
Paignton Clo. *Lut* —1B **14**
Palma Clo. *Dunst* —2B **12**
Parade, The. *Dunst* —4C **12**
Parade, The. *Lut* —5A **8**
Park Av. *H Reg* —7E **6**
Park Av. *Lut* —5A **8**
Park Av. *Tot* —2H **19**
Park Av. Trad. Est. *Lut* —5K **7**
Park Hill. *Tod* —4B **4**
Parkland Dri. *Lut* —1H **23** (7B **29**)
Park La. *Eat B* —4D **18**
Park Leys. *Harl* —2H **5**
Parkmead. *Lut* —7E **29**
Pk. Meadow Clo. *Bar C* —2B **28**
Park M. *L Buz* —6F **27**
Park Rd. *Dunst* —6E **12**
Park Rd. *Tod* —4A **A**
Park Rd. N. *H Reg* —7E **6**
Parkside. —6F 7
Parkside Clo. *H Reg* —7F **7**
Parkside Dri. *H Reg* —7E **6**
Parkside Flats. *Dunst* —5E **12**
Park Sq. *Lut* —6J **15** (5D **29**)
Park St. *Dunst* —4C **12**
Park St. *Lut* —6J **15** (5D **29**)
Park St. W. *Lut* —7J **15** (6D **29**)
Park Town. —7K 15
Park Viaduct. *Lut* —7J **15** (6D **29**)
Park Vw. Clo. *Lut* —6B **8**
Parkway. *H Reg* —6G **7**
Parkway Rd. *Lut* —1B **24**
Parrot Clo. *Dunst* —4G **13**
Partridge Clo. *Lut* —7J **7**
Parys Rd. *Lut* —6F **9**
Pascomb Rd. *Dunst* —5B **12**
PASQUE HOSPICE. —3E **8**
Pastures, The. *Edl* —7F **19**
Pastures Way. *Lut* —7H **7**
Patterdale Clo. *Dunst* —6D **12**
Peach Ct. *Lut* —7K **15** (6E **29**)
Peacock M. *L Buz* —5F **27**
(off Hockliffe St.)
Peartree Clo. *Tod* —6A **4**
Pear Tree La. *L Buz* —4F **27**
Peartree Rd. *Lut* —1C **16**
Pebblemoor. *Edl* —7E **18**
Peck Ct. *Bar C* —1B **28**
Peel Pl. *Lut* —6H **15** (5B **29**)
Peel St. *H Reg* —7D **6**
Peel St. *Lut* —6H **15** (5B **29**)
Pegasus Rd. *L Buz* —4H **27**
Pegsdon Clo. *Lut* —5F **9**
Pembroke Av. *Lut* —2C **14**
Penda Clo. *Lut* —6D **8**
Penhill. *Lut* —6C **8**
Penhill Ct. *Lut* —6C **8**
Penley Way. *L Buz* —7F **27**
Pennine Av. *Lut* —4A **8**
Pennivale Clo. *L Buz* —4F **27**
Penrith Av. *Dunst* —6D **12**
Pepperstock. —5G 23
Peppiates, The. *Dunst* —5C **14**
Pepsal End Rd. *Pep* —7G **23**
Percheron Dri. *Lut* —2J **13**
Percival Way. *Lut A* —6C **16**
Peregrine Rd. *Lut* —1J **13**
Periwinkle La. *Dunst* —6E **12**
Periwinkle Ter. *Dunst* —6E **12**
(off Periwinkle La.)
Perry Mead. *Eat B* —5E **18**
Perrymead. *Lut* —3F **17**
Petard Clo. *Lut* —3J **13**

Petersfield Gdns. *Lut* —3C **8**
Peters Green. —3J 25
Petropolis Ho. *Dunst* —5D **12**
Petunia Ct. *Lut* —4G **15**
Pevensey Clo. *Lut* —1D **16**
Phoenix Clo. *L Buz* —4J **27**
Piggotts La. *Lut* —1B **14**
Pikes Clo. *Lut* —5C **29**
Pilgrims Clo. *Harl* —3H **5**
Pine Clo. *L Buz* —2F **27**
Pinecrest M. *L Buz* —6D **26**
Pinewood Clo. *Lut* —3A **8**
Pinford Dell. *Lut* —4D **16**
Pipers Cft. *Dunst* —6B **12**
Pipers La. *Al G & Cad* —6C **22**
Pirton Rd. *Lut* —7A **8**
Plaiters Way. *Bid* —7C **6**
Plantation Rd. *L Buz* —1E **26**
Plantation Rd. *Lut* —5B **8**
Platt Clo. *Leag* —1B **14**
Platz Ho. *H Reg* —7F **7**
Playford Sq. *Lut* —7B **8**
Plewes Clo. *Kens* —6G **21**
Plough Clo. *Lut* —1G **13**
Plough Ct. *Lut* —1G **13**
(off Plough Clo.)
Plummer Haven. *L Buz* —3F **27**
(off Broomhills Rd.)
Plummers La. *Lut & Hpdn* —4J **25**
Plumpton Clo. *Lut* —2D **16**
Plum Tree La. *L Buz* —4F **27**
Plymouth Clo. *Lut* —4B **16**
Poets Grn. *Lut* —3J **13**
Polegate. *Lut* —3D **16**
Polzeath Clo. *Lut* —5C **16**
Pomeroy Gro. *Lut* —7J **9**
Pomfret Av. *Lut* —5K **15** (2E **29**)
Pond Clo. *Lut* —7K **7**
Pondwicks Path. *Lut* —4D **29**
(in two parts)
Pondwicks Rd. *Lut* —6K **15** (4E **29**)
Popes Ct. *Lut* —4H **15**
(off Old Bedford Rd.)
Poplar Av. *Lut* —4G **9**
Poplar Cvn. Site. *Tot* —2G **19**
Poplar Clo. *L Buz* —2F **27**
Poplar Rd. *Kens* —6G **21**
Poplars Clo. *Lut* —2B **16**
Porlock Dri. *Lut* —4C **16**
Portland Clo. *H Reg* —2D **12**
Portland Ct. *Lut* —4E **14**
Portland Ride. *H Reg* —3C **12**
Portland Rd. *Lut* —4E **14**
Portobello Clo. *Bar C* —3B **28**
Porz Av. *H Reg* —2E **12**
Pottery Clo. *Lut* —5D **8**
Power Ct. *Lut* —6K **15** (4E **29**)
Poynters Rd. *Dunst* —2G **13**
Prebendal Dri. *S End* —4F **23**
Prentice Way. *Lut* —6D **16**
Presentation Ct. *Lut* —7K **15** (6E **29**)
President Way. *Lut* —5D **16**
Preston Gdns. *Lut* —3K **15**
Preston Path. *Lut* —3K **15**
Preston Rd. *Tod* —6C **4**
Prestwick Clo. *Lut* —7J **9**
Priestleys. *Lut* —6E **14**
Primrose Ct. *Dunst* —5C **12**
Princes Ct. *L Buz* —4E **26**
Princes Pl. *Lut* —4H **15**
Princess Ct. *Dunst* —4E **12**
Princess St. *Lut* —6H **15** (5B **29**)
Princess St. *Dunst* —5C **12**
Princes St. *Tod* —6B **4**
Prince Way. *Lut* —5D **16**
Printers Way. *Dunst* —3D **12**
Priory Gdns. *Dunst* —5E **12**
Priory Gdns. *Lut* —1H **15**
Priory Rd. *Dunst* —5E **12**
Proctor Way. *Lut* —6C **16**
Progress Way. *Lut* —6K **7**
Prospect Way. *Lut A* —6C **16**
Provost Way. *Lut* —5C **16**
Prudence Clo. *Harl* —2H **5**
Pulford Clo. *L Buz* —6E **26**
Purcell Rd. *Lut* —1H **13**
Purley Cen. *Lut* —5C **8**

Purway Clo. *Lut* —5C **8**
Purwell Wlk. *L Buz* —1G **27**
Putteridge Pde. *Lut* —1B **16**
Putteridge Pk. —6E **10**
Putteridge Recreation Cen. —7C **10**
Putteridge Rd. *Lut* —1B **16**
Pyghtle Ct. *Lut* —6E **14**
Pyghtle, The. *Lut* —6E **14**
Pynders La. *Dunst* —3G **13**
Pytchley Clo. *Lut* —7J **9**

Quadrant, The. *H Reg* —7E **6**
Quantock Clo. *Lut* —4F **9**
Quantock Ct. *Lut* —4F **9**
Quantock Ri. *Lut* —4F **9**
Queens Clo. *Lut* —7J **15** (6E **29**)
Queens Ct. *Dunst* —4E **12**
(LU5)
Queens Ct. *Dunst* —4D **12**
(LU6)
Queen's Ct. *Lut* —4H **15**
Queen St. *H Reg* —1D **12**
Queen St. *L Buz* —4E **26**
Queens Way. *Dunst* —4D **12**
Queens Way Pde. *Dunst* —4D **12**
Quickswood. *Lut* —5E **8**
Quilter Clo. *Lut* —1D **14**

Rackman Dri. *Lut* —7G **9**
Radburn Ct. *Dunst* —4C **12**
Radnor Rd. *Lut* —1H **13**
Radstone Pl. *Lut* —4F **17**
Raglan Clo. *Lut* —2H **13**
Raleigh Gro. *Lut* —4B **14**
Ramridge Rd. *Lut* —3A **16**
Ramsey Clo. *Lut* —2H **13**
Ramsey Ct. *Lut* —2H **13**
Ramsey Rd. *Bar C* —2C **28**
Randall Dri. *Tod* —6B **4**
Rannock Gdns. *L Buz* —5B **26**
Ranock Clo. *Lut* —4B **8**
Rapper Ct. *Lut* —5G **15** (2A **29**)
Ravenbank Rd. *Lut* —7C **10**
Ravenhill Way. *Lut* —7J **7**
Ravensburgh Clo. *Bar C* —2B **28**
Ravenscourt. *Dunst* —2B **12**
Ravensthorpe. *Lut* —1B **16**
Raynham Way. *Lut* —4D **16**
Readers Clo. *Dunst* —3C **12**
Reaper Clo. *Lut* —1G **13**
Recreation Rd. *H Reg* —6E **6**
Rectory La. *Lil* —2D **10**
Redferns Clo. *Lut* —7E **14**
Redferns Ct. *Lut* —7E **14**
Redfield Clo. *Dunst* —5A **12**
Redgrave Gdns. *Lut* —4D **8**
Red Ho. Ct. *H Reg* —1E **12**
Red Lion Cotts. *Offl* —2K **11**
Redmire Clo. *Lut* —6K **7**
Red Rails. *Lut* —1G **23**
Red Rails Ct. *Lut* —1G **23**
Redwood Dri. *Lut* —4A **8**
Redwood Glade. *L Buz* —1E **26**
Reeds Dale. *Lut* —3F **17**
Reeves Av. *Lut* —1F **15**
Regency Ct. *Dunst* —6E **12**
Regent St. *Dunst* —4D **12**
Regent St. *L Buz* —5G **27**
Regent St. *Lut* —6H **15** (5B **29**)
Reginald St. *Lut* —4H **15** (1B **29**)
Regis Rd. *Lut* —1G **13**
Renshaw Clo. *Lut* —3E **16**
Repton Clo. *Lut* —6C **8**
Reston Path. *Lut* —3E **16**
Retreat, The. *Dunst* —4H **13**
Ribocon Way. *Lut* —5K **7**
Richards Clo. *Lut* —7F **15**
Richards Ct. *Lut* —7F **15**
Richard St. *Dunst* —5E **12**
Richmond Ct. *Lut* —4K **15**
Richmond Hill. *Lut* —3K **15**
Richmond Hill Path. *Lut* —3K **15**
Richmond Rd. *L Buz* —6H **27**
Rickyard Clo. *Lut* —2B **16**
Riddy La. *Lut* —7F **9**

Smithcombe Clo. *Bar C* —2C **28**
Smiths La. Mall. *Lut* —5D **29**
Smith Sq. *Lut* —4D **29**
Snowford Clo. *Lut* —5E **8**
Solway Rd. N. *Lut* —1E **14**
Solway Rd. S. *Lut* —2E **14**
Someries. —1D 24
Someries Arch. *Lut* —1C **24**
Somersby Clo. *Lut* —1J **23**
Somerset Av. *Lut* —3A **16**
Sorrel Clo. *Lut* —4E **8**
Soulbury Rd. *L Buz* —4B **26**
Southampton Gdns. *Lut* —3B **8**
South Bedfordshire Golf Course. —3H **9**
Southcott Village. *L Buz* —6C **26**
Southcott Av. *L Buz* —6C **26**
Southcourt Rd. *L Buz* —5C **26**
S. Drift Way. *Lut* —7F **15**
S. End La. *N'all* —6A **18**
Southern Ri. *E Hyde* —6F **25**
(in two parts)
Southfields Rd. *Dunst* —7F **13**
South Rd. *Lut* —7H **15** (7B **29**)
South St. *L Buz* —5G **27**
Southwood Rd. *Dunst* —7G **13**
Sowerby Av. *Lut* —2C **16**
Spandow Ct. Lut —7H **15** (6B **29**)
(off Elizabeth St.)
Sparrow Clo. *Lut* —1J **13**
Spayne Clo. *Lut* —4F **9**
Spear Clo. *Lut* —6C **8**
Speedwell Clo. *Lut* —4E **8**
Spencer Ct. L Buz —3G **27**
(off Churchill Rd.)
Spencer Rd. *Lut* —4G **15**
Spinney Cres. *Dunst* —5B **12**
Spinney Rd. *Lut* —5B **8**
Spittlesea Rd. *Lut* —7C **16**
Spoondell. *Dunst* —6B **12**
Sports Cen. —1A 24
(Luton)
Spratts La. *Kens* —4G **21**
Springfield Ct. L Buz —5D **26**
(off Springfield Rd.)
Springfield Rd. *Eat B* —5K **19**
Springfield Rd. *L Buz* —5C **26**
Springfield Rd. *Lut* —6G **9**
Spring Pl. *Lut* —7H **15** (6B **29**)
Springside. *L Buz* —5D **26**
Springwood Rd. Lut —6H **9**
(off Ringwood Rd.)
Spurcroft. *Lut* —3G **9**
Square, The. *Dunst* —5D **12**
Squires Pl. *Tod* —5B **4**
Stadium Ind. Est. *Lut* —4J **13**
Staines Sq. *Dunst* —6E **12**
Stanbridge Rd. *L Buz* —6G **27**
Stanbridge Rd. *Tot* —1E **18**
Stanbridge Rd. Ter. *L Buz* —6G **27**
Stanford Rd. *Lut* —3A **16**
Stanley Livingstone Ct. Lut —7H **15** (6A **29**)
(off Stanley St.)
Stanley Rd. *S'ley* —7A **28**
Stanley St. *Lut* —7H **15** (6A **29**)
Stanley Wlk. *Lut* —6A **29**
(in two parts)
Stanmore Cres. *Lut* —1D **14**
Stanton Rd. *Lut* —4A **14**
Stapleford Rd. *Lut* —1B **16**
Startpoint. *Lut* —6G **15**
Statham Clo. *Lut* —3F **9**
Station App. *L Buz* —6D **26**
Station Rd. *Dunst* —5F **13**
Station Rd. *Harl* —2H **5**
Station Rd. *Leag* —7C **8**
Station Rd. *L Buz* —5D **26**
Station Rd. *Lut* —5J **15** (3C **29**)
Station Rd. *Tod* —4C **4**
Staveley Rd. *Dunst* —7D **12**
Staveley Rd. *Lut* —4A **14**
Stephens Clo. *Lut* —2A **16**
Stephens Gdns. *Lut* —3A **16**
Stephenson Clo. *L Buz* —6D **26**
Steppingstone Pl. *L Buz* —6G **27**
Steppingstones. *Dunst* —5B **12**
Stewart Clark Ct. *Dunst* —4C **12**
Stipers Clo. *Dunst* —1G **21**

Stipers Hill. —1F 21
Stivers Way. *Harl* —1H **5**
Stockdale. *Tod* —6B **4**
Stockholm Way. *Lut* —4C **8**
Stockingstone Rd. *Lut* —2H **15**
Stockwood Country Pk. —2G **23**
Stockwood Ct. *Lut* —7B **29**
Stockwood Craft Mus. —2H **23**
Stockwood Cres. *Lut* —7H **15** (7B **29**)
Stockwood Pk. Golf Course.
—3H **23**
Stoke Rd. *L Buz* —3C **26**
Stonehenge Works Station. —1K **27**
Stoneleigh Clo. *Lut* —5F **9**
Stonesdale. *Lut* —1A **14**
Stoneways Clo. *Lut* —6B **8**
Stoneygate Rd. *Lut* —3B **14**
Stony La. *Lut & K Wal* —4G **17**
Stopsley. —1A 16
Stopsley Common. —6J 9
Stopsley Mobile Home Pk. *Lut*
—1K **15**
Stopsley Way. *Lut* —2A **16**
Strafford Clo. *Harl* —2H **5**
Strangers Way. *Lut* —1A **14**
Stratford Clo. *Tod* —5B **4**
Stratford Rd. *Lut* —4F **15**
Strathmore Av. *Lut* —1J **23** (7E **29**)
Strathmore Wlk. *Lut* —7K **15** (7E **29**)
Stratton Gdns. *Lut* —1H **15**
Strawberry Fld. *Lut* —5C **8**
Streatley. —7A 28
Streatley Rd. *S'dn* —7K **5**
Stronnell Clo. *Lut* —2A **16**
Stuart Pl. *Lut* —6H **15** (5B **29**)
Stuart Rd. *Bar C* —1C **28**
Stuart St. *Dunst* —4C **12**
Stuart St. *Lut* —6H **15** (4B **29**)
Stuart St. Pas. *Lut* —6H **15** (5B **29**)
Stubbs Clo. *H Reg* —7F **7**
Studham La. *Kens* —6C **20**
Studley Rd. *Lut* —4H **15** (1A **29**)
Styles Clo. *Lut* —3C **16**
Sudbury Rd. *Lut* —6K **7**
Suffolk Clo. *Lut* —2J **13**
Suffolk Rd. *Dunst* —7H **13**
Sugden Ct. *Dunst* —5C **12**
Summerfield Rd. *Lut* —5D **14**
Summerleys. *Edl* —6E **18**
Summers Rd. *Lut* —4C **16**
Summer St. *L Buz* —5G **27**
Summer St. *S End* —4G **23**
Sunbower Av. *Dunst* —2A **12**
Suncote Av. *Dunst* —2A **12**
Suncote Clo. *Dunst* —3A **12**
Sundon Hills. —5K 5
Sundon Hills Country Pk. —5K **5**
Sundon La. *H Reg* —7E **6**
Sundon Park. —5A 8
Sundon Pk. Pde. *Lut* —5A **8**
Sundon Pk. Rd. *Lut* —3K **7**
Sundon Rd. *Chal & Lut* —3H **7**
Sundon Rd. *Harl* —2H **5**
Sundon Rd. *H Reg & Chal* —7E **6**
Sundon Rd. *S'ley* —7A **28**
Sundon Rd. *S'dn* —5K **5**
Sundown Av. *Dunst* —6F **13**
Sunningdale. *Lut* —2K **15**
Sunningdale Ct. *Lut* —2K **15**
Sunridge Av. *Lut* —3J **15**
Sunset Dri. *Lut* —2K **15**
Surrey St. *Lut* —7J **15** (7D **29**)
Sussex Clo. *Lut* —1H **13**
Sussex Pl. *Lut* —3D **16**
Sutherland Pl. *Lut* —1H **23** (7A **29**)
Sutton Gdns. *Lut* —6B **8**
Swales Dri. *L Buz* —7J **27**
Swallow Clo. *Lut* —1J **13**
Swan Ct. *Dunst* —5D **12**
Swan Mead. *Lut* —1J **13**
Swansons. *Edl* —7F **19**
Swanston Grange. *Lut* —3K **13**
Swasedale Rd. *Lut* —6D **8**
Swasedale Wlk. *Lut* —6D **8**
Swifts Grn. Clo. *Lut* —7B **10**
Swifts Grn. Rd. *Lut* —7B **10**
Sworder Clo. *Lut* —3D **8**

Sycamore Clo. *Lut* —3A **8**
Sycamore Rd. *H Reg* —6E **6**
Sylam Clo. *Lut* —5C **8**

Tabor Clo. *Harl* —1H **5**
Talbot Ct. *L Buz* —4F **27**
Talbot Rd. *Lut* —4K **15**
Tall Pines. *L Buz* —2E **26**
Tamar Wlk. *L Buz* —1G **27**
Tameton Clo. *Lut* —3F **17**
Tancred Rd. *Lut* —1A **16**
Tanfield Grn. *Lut* —4E **16**
Tarnside Clo. *Dunst* —7D **12**
Taskers Row. *Edl* —6F **19**
Taunton Av. *Lut* —4B **16**
Tavistock Cres. *Lut* —1J **23** (7C **29**)
Tavistock Pl. *Dunst* —3C **12**
Tavistock St. *Dunst* —3C **12**
Tavistock St. *Lut* —1J **15** (7C **29**)
Taylor's Ride. *L Buz* —2E **26**
Taylor St. *Lut* —5K **15** (2D **29**)
Tea Green. —2H 17
Tebworth Rd. *Teb & L Buz* —3A **6**
(in two parts)
Teesdale. *Lut* —7A **8**
Telford Way. *Lut* —5H **15** (3A **29**)
Telmere Ind. Est. *Lut* —7D **29**
Telscombe Way. *Lut* —2C **16**
Temple Clo. *Lut* —7J **9**
Tenby Dri. *Lut* —2D **14**
Tenby M. *Lut* —2C **14**
Tennyson Av. *H Reg* —1F **13**
Tennyson Rd. *Lut* —2J **23** (7D **29**)
Tenth Av. *Lut* —5A **8**
Tenzing Gro. *Lut* —7G **15**
Thames Ct. *Lut* —2F **15**
Thames Ind. Est. *Dunst* —5D **12**
Thatch Clo. *Lut* —1H **13**
Thaxted Clo. *Lut* —3F **17**
Theatre. —4C **29**
Thelby Clo. *Lut* —6D **8**
Therfield Wlk. *H Reg* —6G **7**
Thetford Gdns. *Lut* —6J **9**
Third Av. *Lut* —5A **8**
Thirlestone Rd. *Lut* —4B **14**
Thistle Rd. *Lut* —6K **15**
Thornage Clo. *Lut* —5H **9**
Thornbury. *Dunst* —3H **13**
Thornbury Ct. *H Reg* —5E **6**
Thornhill Clo. *H Reg* —5F **7**
Thornhill Rd. *Lut* —4D **14**
Thorn Rd. *H Reg* —6A **6**
Thorntondale. *Lut* —7A **8**
Thorn Vw. Rd. *H Reg* —7D **6**
Thrales Clo. *Lut* —5C **8**
(in three parts)
Thresher Clo. *Lut* —1H **13**
Threshers Ct. *L Buz* —5J **27**
Thricknells Clo. *Lut* —5C **8**
Thurlow Clo. *Lut* —1H **13**
Thyme Clo. *Lut* —5J **9**
Tibbet Clo. *Dunst* —7F **13**
Tiberius Rd. *Lut* —6D **8**
Tiddenfoot Leisure Cen. —7D **26**
Tilgate. *Lut* —2D **16**
Tiller Ct. *L Buz* —5J **27**
Timberlands Cvn. Site. *Lut* —6G **23**
Timworth Clo. *Lut* —4D **16**
Tindall Av. *L Buz* —3G **27**
Tinsley Clo. *Lut* —1F **23**
Tintagel Clo. *Lut* —1F **15**
Tipplehill Rd. *Al G* —4D **22**
Titan Ct. *Lut* —4D **14**
Tithe Farm. —6D 6
Tithe Farm Rd. *H Reg* —6D **6**
Toddington. —5B 4
Toddington Manor. —3A **4**
Toddington Rd. *Harl* —1F **5**
Toddington Rd. *Lut* —6K **7**
Toland Clo. *Lut* —4A **14**
Tomlinson Av. *Lut* —1G **13**
Torquay Dri. *Lut* —1B **14**
Totternhoe. —3J 19
Totternhoe Knolls Nature Reserve. —2H **19**
Totternhoe Rd. *Dunst* —6A **12**
Totternhoe Rd. *Eat B* —4D **18**

Tourist Info. Cen. —5J 15 (4C 29)
(Luton)
Tower Ct. *Lut* —4A **16**
Tower Rd. *Lut* —5A **16**
Tower Way. *Lut* —5A **16**
Townsend Cen., The. *H Reg* —1D **12**
Townsend Farm Rd. *H Reg* —2D **12**
Townsend Ind. Est. *H Reg* —2D **12**
Townsend Ter. *H Reg* —1C **12**
Townside. *Edl* —7F **19**
Townsley Clo. *Lut* —7J 15 (7C **29**)
Tracey Ct. *Lut* —7J 15 (7C **29**)
(off Hibbert St.)
Trefoil Clo. *Lut* —1H **13**
Trent Rd. *Lut* —2E **14**
Trescott Clo. *Lut* —3E **16**
Trident Dri. *H Reg* —6F **7**
Triggs Way. *C'hoe* —2E **16**
Trimley Clo. *Lut* —7K **7**
Tring Rd. *I'hoe & Edl* —7J **19**
Trinity Rd. *Lut* —7E **8**
Troon Gdns. *Lut* —6J **9**
Trowbridge Gdns. *Lut* —3J **15**
Truncalls. *Lut* —1H **23** (7A **29**)
(off Sutherland Pl.)
Truro Gdns. *Lut* —7F **9**
Tudor Ct. *Bar C* —1C **28**
Tudor Ct. Dunst —6F **13**
(off London Rd.)
Tudor Ct. Dunst —4C **12**
(off Park St.)
Tudor Ct. *L Buz* —5E **26**
Tudor Dri. *H Reg* —1G **13**
Tudor Rd. *Lut* —3F **15**
Turner Clo. *H Reg* —7F **7**
Turners Rd. N. *Lut* —3A **16**
Turners Rd. S. *Lut* —3A **16**
Turnpike Clo. *Dunst* —7E **12**
Turnpike Dri. *Lut* —3G **9**
Twigden Ct. *Lut* —7C **8**
Twyford Dri. *Lut* —3D **16**
Tylers Mead. *Lut* —7J **9**
Tythe M. *Edl* —7E **18**
Tythe Rd. *Lut* —6A **8**

Ullswater Dri. *L Buz* —5B **26**
Ullswater Rd. *Dunst* —7D **12**
Ulverston Rd. *Dunst* —7C **12**
Underwood Clo. *Lut* —3D **8**
Union Chapel Ho. *Lut* —6C **29**
Union St. *Dunst* —5C **12**
Union St. *Lut* —7J 15 (6C **29**)
Uplands. *Lut* —4B **8**
Uplands Ct. *Lut* —1J **23**
Up. Coombe. *L Buz* —4D **26**
Up. George St. *Lut* —6H **15** (4B **29**)
Upper Sundon. —7K 5
Upton Clo. *Lut* —6H **9**
Upwell Rd. *Lut* —3B **16**

Vadis Clo. *Lut* —5C **8**
Valence End. *Dunst* —7F **13**
Valiant Clo. *Harl* —2H **5**
Valley Clo. *Kens* —7A **20**
Vanbrugh Dri. *H Reg* —7F **7**
Vandyke Rd. *L Buz* —5G **27**
Varna Clo. *Lut* —2E **14**
Vauxhall Rd. *Lut* —1B **24**
Vauxhall Way. *Lut* —2A **16**
Velour Ct. *Lut* —1E **29**
Venetia Rd. *Lut* —1A **16**
Venetia Rd. Footpath. *Lut* —1A **16**
(off Hitchin Rd.)
Ventnor Gdns. *Lut* —5D **8**
Verey Rd. *Wood E* —3E **12**
Vernon Pl. *Dunst* —4D **12**
Vernon Rd. *Lut* —5G **15**
Verulam Gdns. *Lut* —6D **8**
Vespers Clo. *Lut* —3J **13**
Vestry Clo. *Lut* —6H **15** (4A **29**)
Viaduct Cotts. *E Hyde* —6E **24**
Vicarage Gdns. *L Buz* —6D **26**
Vicarage Rd. *H Reg* —7D **6**
Vicarage Rd. *L Buz* —6D **26**
Vicarage St. *Lut* —6K **15** (5E **29**)

Viceroy Ct. *Dunst* —5E **12**
Victoria Pl. *Dunst* —5C **12**
Victoria Rd. *L Buz* —6D **26**
Victoria St. *Dunst* —4C **12**
Victoria St. *Lut* —7J 15 (6C **29**)
Victoria Ter. *Lee* —5J **27**
Villa Ct. *Lut* —5H **15** (2B **29**)
Villa Rd. *Lut* —5H **15** (2B **29**)
Villiers Clo. *Lut* —2B **14**
Vimy Rd. *L Buz* —5E **26**
Vincent Rd. *Lut* —7B **8**
Virginia Clo. *Lut* —2K **15**
Viscount Clo. *Lut* —7E **8**
Viscount Ct. *Lut* —1B **29**
Visitors Cen. —2B **20**
Vyne Cvn. Pk., The. *L Buz* —7H **27**

Waddesdon Clo. *Lut* —3D **16**
Wadhurst Av. *Lut* —1G **15**
Walcot Av. *Lut* —3A **16**
Waldeck Rd. *Lut* —5G **15**
Waleys Clo. *Lut* —4C **8**
Walgrave Rd. *Dunst* —3H **13**
Walkley Rd. *H Reg* —1D **12**
Wallace Dri. *Eat B* —4E **18**
Wallace M. *Eat B* —4E **18**
Waller Av. *Lut* —3D **14**
Waller St. Mall. *Lut* —4C **29**
Walnut Clo. *Lut* —1B **16**
Walnuts, The. *L Buz* —2F **27**
Walsingham Clo. *Lut* —5H **9**
Waltham Ct. *Lut* —2C **16**
(off Cowdray Clo.)
Wanden Green. —1K 25
Wandon Clo. *Lut* —1C **16**
Wandon End. —4G 17
Warden Hill. —4G 9
Warden Hill Clo. *Lut* —4G **9**
Warden Hill Gdns. *Lut* —4G **9**
Warden Hill Rd. *Lut* —4G **9**
Wardlow Ct. *Lut* —3H **15**
Wardown Cres. *Lut* —3J **15**
Wardown Pk. —3H **15**
Wardown Swimming & Leisure Cen. —3H 15
Wards Wood La. *Lut* —2A **10**
Warminster Clo. *Lut* —4F **17**
Warneford Way. *L Buz* —7H **27**
Warren Clo. *Tod* —4A **4**
Warren Dri., The. *Lut* —5B **24**
Warren Rd. *Lut* —5D **14**
Warton Grn. *Lut* —3E **16**
Warwick Ct. *Lut* —5F **15**
(off Warwick Rd.)
Warwick Rd. E. *Lut* —5F **15**
Warwick Rd. W. *Lut* —5F **15**
Washbrook Clo. *Bar C* —4C **28**
Waterbourne Wlk. *L Buz* —5E **26**
Waterdell. *L Buz* —5H **27**
Water End La. *Chal* —2G **7**
Water La. *L Buz* —5E **26**
Waterloo Rd. *L Buz* —6D **26**
Waterlow Rd. *Dunst* —4C **12**
Watermead Rd. *Lut* —6D **8**
Waterside. *Eat B* —6F **19**
Waterslade Grn. *Lut* —6F **9**
Watling Ct. *Dunst* —3C **12**
Watling Ct. *H Reg* —1D **12**
Watling Pl. *H Reg* —1D **12**
Watling St. *Kens* —2J **21**
Wauluds Bank Dri. *Lut* —4B **8**
Wayside. *Dunst* —1F **21**
Weatherby. *Dunst* —5A **12**
Weatherby Rd. *Lut* —3B **14**
Wedgewood Rd. *Lut* —1H **13**
Welbeck Rd. *Lut* —5J **15** (2D **29**)
Welbury Av. *Lut* —5G **9**
Weldon Clo. *Lut* —4E **16**
Wellfield Av. *Lut* —4A **8**
Wellgate Rd. *Lut* —3B **14**
Well Head. —5K 19
Well Head Rd. *Tot* —3J **19**
Wellhouse Clo. *Lut* —6E **14**
Wellington Clo. *Lut* —7H **15** (6B **29**)
(off Wellington St.)
Wellington St. *Lut* —7H **15** (6B **29**)
Wellington Ter. *Dunst* —5E **12**

Wells Ct. *L Buz* —4F **27**
(off East St.)
Weltmore Rd. *Lut* —6D **8**
Wendover Way. *Lut* —2K **15**
Wenlock St. *Lut* —5J **15** (2C **29**)
Wensleydale. *Lut* —4J **15** (1C **29**)
Wentworth Av. *Lut* —6A **8**
Wentworth Clo. *Tod* —4A **4**
Wentworth Ct. *Harl* —1H **5**
Wentworth Dri. *L Buz* —3F **27**
Wentworth Gdns. *Tod* —5C **4**
Westbourne Mobile Home Pk. *Lut* —7D **8**
Westbourne Rd. *Lut* —4F **15**
Westbury Clo. *H Reg* —2D **12**
Westbury Gdns. *Lut* —2H **15**
Westdown Gdns. *Dunst* —6B **12**
Westerdale. *Lut* —1K **13**
Western Rd. *Lut* —7H **15** (6A **29**)
Western Way. *Dunst* —4G **13**
Westfield Rd. *Dunst* —5B **12**
West Hill. *Dunst* —1D **20**
W. Hill Rd. *Lut* —1J **23**
West Hyde. —7C 24
West La. *Offl* —2J **11**
Westlea. *Lut* —1A **14**
Westcote Gdns. *Lut* —1H **15**
Westminster Gdns. *H Reg* —6E **6**
Westmorland Av. *Lut* —7D **8**
Weston Av. *L Buz* —7H **27**
Westoning Rd. *Harl* —1G **5**
West Pde. *Dunst* —5C **12**
Westside. *L Buz* —5F **27**
(off Doggett St.)
West St. *Dunst* —6B **12**
West St. *L Buz* —5E **26**
West St. *Lil* —3D **10**
Westway. *Lut* —1C **16**
Wetherne Link. *Lut* —7A **8**
Wexham Clo. *Lut* —4C **8**
Weybourne Dri. *Lut* —5G **9**
Wharfdale. *Lut* —7A **8**
Wheatfield Clo. *L Buz* —5J **27**
Wheatfield Ct. *Lut* —1G **13**
Wheatfield Rd. *Lut* —1G **13**
Whipperley Ct. *Lut* —1G **23**
Whipperley Ring. *Lut* —7E **14**
Whipperley Way. *Lut* —7F **15**
Whipsnade. —6C 20
Whipsnade Mobile Home Pk. *Whip* —5B **20**
Whipsnade Park Zoo. —7C 20
Whipsnade Rd. *Kens* —6B **12**
Whitby Rd. *Lut* —4G **15**
Whitchurch Clo. *Lut* —3D **16**
Whitecroft Rd. *Lut* —5A **16**
Whitefield Av. *Lut* —5A **8**
Whitehaven. *Lut* —3D **8**
Whitehill Av. *Lut* —1H **23**
White Hill Rd. *Bar C* —2C **28**
Whitehorse Va. *Lut* —3C **8**
Whitehouse Clo. *H Reg* —1D **12**
White Ho. Ct. *L Buz* —5F **27**
White Lion Retail Pk. *Dunst* —4E **12**
Whitethorn Way. *Lut* —7E **14**
Whittingham Clo. *Lut* —4F **17**
Whitwell Clo. *Lut* —4F **9**
Wickets, The. *Lut* —4H **15** (1B **29**)
Wick Hill. *Kens* —6H **21**
Wickmere Clo. *Lut* —5G **9**
Wickstead Av. *Lut* —2C **14**
Wigmore La. *Lut* —1B **16**
Wigmore Pk. Cen. *Lut* —4E **16**
Wilbury Dri. *Dunst* —3G **13**
Wild Cherry Dri. *Lut* —1H **23** (7B **29**)
Willenhall Clo. *Lut* —5E **8**
Williamson St. *Lut* —4C **29**
William St. *Lut* —4J **15** (1C **29**)
William Sutton Ct. *Lut* —7B **10**
Williton Rd. *Lut* —3B **16**
Willoughby Clo. *Dunst* —6E **12**
Willow Bank Wlk. *L Buz* —4H **27**
Willow Ct. *Lut* —7C **8**
Willowgate Trad. Est. *Lut* —4K **7**
Willows, The. *Edl* —7F **19**
Willow Way. *Dunst* —6B **4**
Willow Way. *H Reg* —6F **7**
(off Kent Rd.)
Willow Way. *Lut* —7C **8**